danza poética

un manual coreográfico

billy
cowie

traducción
mariana di silverio

Primera edición 2021
Publicado por idiolect,
92 Centurion Road,
Brighton,
East Sussex,
BN1 3LN

ISBN -13 978-0-9554004-8-3
ISBN -10 0-9554004-8-1

Otro mundo no solo es posible, ella está en camino.
En un día tranquilo, puedo escuchar su respiración.

Arundhati Roy

contenidos

tangos cubanos

introducción

En 2015 Miguel Iglesias, director de *Danza Contemporánea de Cuba*, me presentó en una sala llena de reporteros en La Habana antes del estreno de mi nueva obra *Tangos Cubanos* como *'un poeta de la danza'*. Este hermoso halago me dejó pensando acerca de qué sentía yo que era diferente en mi coreografía en comparación con la mayor parte de la danza que había experimentado, especialmente en Inglaterra. Tal como el compositor Charles Ives dijo sobre su propio trabajo, *'¿están mis oídos equivocados?'*, del mismo modo me parecía a mí que, comparándome con el resto de las personas, mis ojos no estaban del todo acertados – un punto de vista desafortunadamente compartido por muchos acerca de mi trabajo en Reino Unido. Fue solo en los últimos diez años, con la oportunidad de trabajar en mi coreografía con algunas maravillosas bailarinas alrededor del mundo, en particular en Japón, Corea, Cuba, México, Argentina, España e Italia, que he podido realmente desarrollar esta sensibilidad tan sucintamente captada por Miguel.

El primer libro de danza en el que estuve involucrado se titula *Danza Anárquica* (*Anarchic Dance*, publicado por *Routledge* en 2006, ISBN: 9780415365178), entonces podría parecer extraño que este ahora se titule *Danza Poética*. Se podría sospechar que en cierto modo mi perspectiva se ha suavizado con el correr del tiempo. Aun así, sostendría que estos adjetivos aparentemente contrastantes contienen una superposición significativa en tanto que la anarquía tiene un elemento poético y la poesía es a menudo anárquica. La dualidad, no obstante, incluye una valiosa distinción. Creo que mi más reciente trabajo – *Solos Extremos*, un programa doble para la bailarina argentina Luciana Croatto – abarca las dos caras de la moneda en tanto que *Frau Auch zu Hause* es una obra punk anárquica y *De Lo Alto de Altos Edificios* encarna un lado más poético. Se pueden encontrar extractos de ambas obras en la sección Estudios de Caso, así que ¡pueden decidir ustedes! Como en *Anarchic Dance* pasamos un capítulo discutiendo qué significaba la Anarquía en sí misma y cómo esto podía aplicarse específicamente a la danza, del mismo modo aquí pasaré el primer capítulo señalando qué podría implicar la Poesía y una correspondiente estética de Danza Poética.

Una de las inspiraciones para este libro es el famoso tratado matemático de Euclides - *Elementos*. Partiendo desde principios primarios y definiciones básicas, Euclides se expande lógicamente, paso a paso, hacia todo un nuevo mundo de geometría. Euclides comienza primero con la idea geométrica más fundamental – el Punto – y nuestro equivalente en danza para el punto es la Posición Clave, la cual examinaremos en Elementos 1. Con dos puntos Euclides puede obtener una Línea, y nuestro equivalente en danza a la Línea que une dos Posiciones Clave es la Transición, que será discutida en Elementos 2. Euclides continúa para extrapolar toda una gama de ideas geométricas a partir de estos principios primarios, incluyendo ángulos, planos, formas y sus relaciones. De modo similar, intentaremos tomar las Posiciones Clave y Transiciones y desarrollarlas en Patrones en Elementos 3. Pero, por supuesto, la danza no es geometría. Dos factores esenciales no relevantes para Euclides que son importantes para nosotras y nosotros son, en primer lugar, la cuarta dimensión del tiempo y, en segundo lugar, la naturaleza humana de la danza, incluyendo personalidad, emoción, drama, narrativa, etc. Avanzaremos sobre estas cuestiones en los capítulos siguientes.

Para algunas personas, el abordaje en los capítulos de Elementos podría parecer al comienzo un poco seco y árido (e incluso obvio). Aun así, tal como sucede con Euclides, el método sistemático gradualmente construye un universo de posibilidades que lo abarca todo. El fundamento analítico sólido también supone que las obras más complejas pueden ser desglosadas y simplificadas hasta sus componentes esenciales.

Además, he adoptado aquí un tipo de formato de catalogación por medio del cual las ideas y técnicas son enumeradas y formalmente identificadas. Esto ha sido escogido por una cuestión de claridad pero también en un intento por dar a las coreógrafas un vocabulario útil para comunicar ideas rápida y claramente a sus bailarinas. Para facilitar la lectura del libro, he ubicado algunas de las posiciones clave, transiciones y patrones más raros en un Apéndice al final de la primera mitad.

Una ventaja de trabajar a partir de los elementos más básicos del espacio y el tiempo es que, en lugar de enfocarse en algún género de danza en particular, este libro intentará explorar los principios subyacentes a todo movimiento estructurado y por lo tanto (aunque yo provengo de un contexto más vinculado a la danza contemporánea), muchas de las ideas serán relevantes para distintas formas de danza. Estas incluyen ballet, danzas de la India, Butoh, danzas urbanas, danzas sociales, danza jazz, danzas comunitarias, etc., y podemos eludir con esmero el interminable debate acerca de qué es clásico, nuevo, antiguo, moderno, vanguardista, posmoderno y, por supuesto, postposmoderno.

Puede parecer sorprendente que en las secciones de Elementos comenzaremos considerando Posiciones Clave 'estáticas' y postergaremos hasta más tarde el capítulo sobre Transiciones 'en movimiento' – después de todo, ¿no se trata la danza principalmente de movimiento? El público se emociona con el fantástico salto de la bailarina de ballet, el giro de cabeza de la performer urbana, el veloz juego de pies de la bailarina de danzas de la India, etc. Desafortunadamente, esto conduce a muchos coreógrafos a enfocarse primordialmente solo en los movimientos. No obstante, espero mostrar que, así como con los puntos de Euclides definiendo sus líneas, del mismo modo veremos que el encuadre de Transiciones con Posiciones Clave clarificará a las primeras y les infundirá nueva vida.

Dado que la primera parte del libro trata en gran medida de la deconstrucción de la danza en sus Elementos y componentes esenciales de un modo más bien formal y analítico, es crucial mostrar cómo estas partes funcionan juntas en obras de danza reales que pueden producir respuestas emocionales e intelectuales y encarnar en efecto una estética poética. Una segunda inspiración para este libro es *Fundamentos del Ajedrez* de José R. Capablanca, donde el maestro cubano de ajedrez divide su libro en dos partes. La primera parte detalla los principios y estrategias del ajedrez, y la segunda muestra cómo estos conceptos se ponen en juego en situaciones de la vida real en el análisis de una serie de juegos del propio Capablanca.

Este es un modelo que intentaré copiar, haciendo de la segunda parte de este libro una sección de Estudios de Caso. Estos cubrirán más de cuarenta extractos de mis coreografías recientes, que serán analizados utilizando los principios señalados anteriormente en el libro. La lectora puede ver las obras relevantes *online* y observar los diversos conceptos en acción. Algunos extractos han sido escogidos para destacar técnicas particulares y enfocarse en ellas, mientras que en otros la obra completa será analizada y todos los elementos serán reunidos para ver cómo esas partes funcionan juntas e influyen unas sobre otras.

Para asegurar que los ejemplos en video se encuentren disponibles *online* y no estén restringidos por derechos de autor, he limitado los estudios a mis propias coreografías. No obstante, dado que estas abarcan diversas influencias, incluyendo ballet, danza contemporánea, danza japonesa, danzas de la India y formas de danzas sociales, creo que pueden cubrir un amplio rango de técnicas coreográficas. Ocasionalmente también mencionaré al pasar a otras coreógrafas y coreógrafos cuyo trabajo es bien conocido por ciertos aspectos que estaremos discutiendo, a quienes se puede encontrar rápida y fácilmente *online*.

Algunos coreógrafos pueden encontrar el método de este libro demasiado abstruso y técnico. Puede que prefieran una aproximación más intuitiva y espontánea a la labor creativa. En ese caso, advertiría que solo con una técnica coreográfica desarrollada y rigurosa podemos crear obras genuinamente originales. El abordaje intuitivo puede conducir a que los coreógrafos hagan obras idénticas una y otra vez a lo largo de los años. Esto no implica negar la individualidad estilística; los mejores coreógrafos, artistas, poetas y compositores tienen ciertas características únicas e idiosincrasias que distinguen su trabajo del de otros. Esta individualidad a menudo se manifiesta como un aparente capricho y un cierto desprecio por las *reglas*. Sin embargo, esta supuesta libertad y falta de disciplina es engañosa; por debajo hay invariablemente una inmensa subestructura de diseño meticuloso. Por ejemplo, Dylan Thomas, Pablo Picasso y Claude Debussy han realizado creaciones muy variadas que son instantáneamente identificables como producciones de su autoría, pero toda la originalidad de sus obras es producto de logros técnicos extraordinarios.

He discutido previamente algunos aspectos de la coreografía en los tres capítulos *Choreographic Techniques* en el libro *Anarchic Dance*. Abordaré temas similares aquí, pero desde distintos ángulos, por lo que podría ser interesante hacer un seguimiento de este trabajo dando un vistazo al libro editado por *Routledge* para apreciar esas diferentes perspectivas, y las referencias al mismo serán dadas cuando sea relevante. *Danza Poética* no es un libro académico o de investigación sino más bien un manual práctico, por lo que no se hará referencia en él a otros textos o libros de danza o coreografía.

Como ya se ha mencionado antes, para algunas personas, la aproximación en los primeros capítulos de Elementos puede parecer al comienzo un poco seca, formal y árida. Para aquellas lectoras, sugeriríamos que quizás prefieran proceder directamente hacia algunos de los capítulos posteriores, por ejemplo el de Movimiento Pedestre. Las lectoras que deseen ver danza podrían indagar primero en algunos de los Estudios de Caso con los videos que los acompañan. Finalmente, para quienes deseen moverse, podrían comenzar con el capítulo de Taller.

1 danza poética

Inicialmente podría pensarse que la Danza Poética usaría texto poético como parte de su estructura, por ejemplo, recitado por la bailarina o grabado como parte de la banda sonora o de hecho proyectado como texto – todas estas opciones son por supuesto posibles. En cierto sentido, una de las formas más simples de imbuir a la coreografía de una sensibilidad poética es usar un poema como su base y dejar que la coreografía refleje algunos de los aspectos del poema. Sin embargo, también consideraremos a la coreografía como algo poético que no incluye texto poético, pero que aun así contiene elementos de poesía como parte de su estructura de movimiento. Como en el libro *Anarchic Dance* – donde para definir a la danza anárquica, tuvimos que examinar qué significaba la anarquía en sí misma – del mismo modo aquí debemos primero intentar dilucidar cuál es la naturaleza de la poesía en sí misma y luego ver qué podría significar esto para un concepto como Danza Poética.

La poesía abarca un vasto rango de obras literarias, desde poemas épicos de gran escala hasta diminutos haikus japoneses y muchas formas diversas en el medio. Además, hay muchas zonas grises donde la poesía o el verso son un elemento en diferentes obras, por ejemplo, en el teatro de Shakespeare. Asimismo, en el siglo veinte, algunos poetas modernistas han expandido la definición de poesía en muchas formas experimentales y emocionantes hasta incluir casi cualquier cosa escrita e incluso algunas cosas que ni siquiera lo están. No obstante, esta diversidad de ejemplos podría hacer a nuestra tarea de aplicar ideas poéticas a la danza inicialmente confusa. Por ello, para este libro, tomaremos solo un poema – *The Tyger*, de William Blake – e intentaremos extraer de él los elementos poéticos que contiene.

Para esta versión en español de *Danza Poética* hemos mantenido el poema *The Tyger* en lugar de sustituirlo por un poema en español por dos razones – en primer lugar, porque este poema encapsula tan claramente muchas de las cualidades de la poesía que pueden ser transferidas a la danza y, en

la tragedia di eponima

segundo lugar, porque las dificultades de traducirlo al español resaltan la naturaleza única de la poesía. Presentaremos por lo tanto la versión original en inglés y luego una traducción literal al español, recomendando a las lectoras remitirse a la primera versión cuando hablemos de rima, aliteración, métrica, acento, etc., y a la segunda cuando hablemos de contenido fáctico, metáfora, estructura, etc.

Un modo de definir a la poesía es contrastarla con el enorme volumen de texto escrito en prosa. La prosa en sí misma constituye una categoría altamente diversa de obras que oscilan desde la escritura puramente fáctica de, supongamos, un artículo científico o un reporte policial (a la cual denominaremos aquí Prosa Llana) a la exquisitamente escrita novela donde el cuidado con el cual las palabras son escogidas, así como los giros de frase, son casi poéticos (Prosa Literaria). Entonces, en efecto, más que dos polos opuestos de poesía y prosa, tenemos algo así como un espectro continuo: prosa llana – prosa literaria – novela poética – poesía en prosa – verso libre – poesía, con muchas variaciones y superposiciones entre cada una de ellas. Si consideramos los dos extremos, tomando como ejemplo del extremo de la Prosa Llana a este libro y del extremo de la Poesía al ya mencionado poema *The Tyger*, de Blake, inmediatamente podemos ver una diferencia evidente. La misma radica en que en la Prosa Llana la información y las ideas, el contenido, es primordial, y el texto está escrito de forma tal de presentar esta información del modo más claro y menos ambiguo posible pero sin ninguna pretensión de que la manera en que está escrito, aparte de esa claridad, tenga relevancia alguna en sí misma. Por supuesto, el poema de Blake también contiene ideas e información, por ejemplo, los tigres son asombrosos, ¿han sido creados por algo o por alguien?, ¿qué tipo de ser sería ese?, ¿ha sido Dios?, etc., pero la mera extracción y presentación de esta información no representa de manera alguna al poema original. En cambio, la forma concreta en que el poema está escrito es tan importante, si no más, que la información que este contiene. Esto no quiere decir que la información fáctica que posee no sea una parte esencial del poema – tergiversando completamente la famosa frase de Marshall McLuhan *'el medio es el mensaje'* – en poesía, *'el medio y el mensaje juntos son el mensaje'* y en prosa llana, *'el mensaje es el mensaje'*.

Tomemos simplemente algunos de estos rasgos poéticos comunes, que no ocurren en la prosa llana, que aparecen en el poema *The Tyger* de Blake y que pueden ser relevantes para la danza. Aquí tenemos la versión original en inglés.

Tyger! Tyger! burning bright
In the forests of the night,
What immortal hand or eye
Could frame thy fearful symmetry?

In what distant deeps or skies
Burnt the fire of thine eyes?
On what wings dare he aspire?
What the hand dare seize the fire?

And what shoulder, and what art,
Could twist the sinews of thy heart?
And when thy heart began to beat,
What dread hand? and what dread feet?

What the hammer? what the chain?
In what furnace was thy brain?
What the anvil? what dread grasp
Dare its deadly terrors clasp?

When the stars threw down their spears,
And watered heaven with their tears,
Did he smile his work to see?
Did he who made the Lamb make thee?

Tyger! Tyger! burning bright
In the forests of the night,
What immortal hand or eye
Dare frame thy fearful symmetry?

A continuación veremos una traducción literal del poema al español (hecha por google) que no intenta reproducir la rima ni la métrica del original.

¡Tygre! ¡Tygre! ardiendo intensamente
En los bosques de la noche,
¿Qué mano u ojo inmortal
Podría enmarcar tu temible simetría?

¿En qué lejanos abismos o cielos
Ardió el fuego de tus ojos?
¿A qué alas se atreve a aspirar?
¿Qué mano se atreve a asir el fuego?

¿Y qué hombro, y qué arte,
Podría torcer los tendones de tu corazón?
Y cuando tu corazón comenzó a latir,
¿Qué mano pavorosa? ¿y qué pies pavorosos?

¿Qué martillo? ¿qué cadena?
¿En qué horno estaba tu cerebro?
¿Qué yunque? ¿qué terrible agarre
Se atreve a estrechar sus terrores mortales?

Cuando las estrellas arrojaron sus lanzas,
Y regaron el cielo con sus lágrimas,
¿Sonrió al contemplar su obra?
¿El que hizo el Cordero te hizo a ti?

¡Tygre! ¡Tygre! ardiendo intensamente
En los bosques de la noche
¿Qué mano u ojo inmortal
Se atreve a enmarcar tu temible simetría?

estructura En primer lugar, el poema está separado en versos cortos, lo que da a quien lee tiempo para pensar y detenerse en cada aspecto. El poema también está dividido en bloques lo cual, una vez más, permite a quien lee asimilar esa sección pero también clarifica patrones de repetición tales como la primera y la última estrofas. Un aspecto importante de esto es que los cortes no necesariamente obedecen al sentido del contenido, es decir, los primeros dos versos de la segunda estrofa de *The Tyger* son una única oración. A la inversa, un mismo verso en un poema puede ser dividido usando un punto. Esto implica que tenemos dos mundos paralelos corriendo simultáneamente que pueden complementarse o chocar entre sí, produciendo en el proceso nuevos significados y sorpresa. En prosa, la estructura y el significado están alineados tan estrechamente como sea posible para producir claridad y falta de ambigüedad.

En este caso, el poema también sigue una estructura bastante rígida en la que cada uno de los versos tiene una longitud similar – siete u ocho sílabas (en la versión en inglés). Mucha de la poesía no obedece a sistemas tan estrictos, pero cuando lo hace, este aspecto ayuda a dar forma al poema y permite que este contenga diversas ideas juntas dentro de una forma que unifica. También, la inevitabilidad estructural del poema puede ser agradable en sí misma – especialmente cuando es leído en voz alta. Naturalmente, hay estructuras en Prosa Llana tales como oraciones, párrafos, capítulos, etc., pero como dijimos anteriormente, estas tienden a ser funcionales y, en general, si se modifican no alteran sustancialmente a la obra.

rima El uso de la rima en poesía es muy común (aunque muchas poetas nunca la usan). Además de brindar una sensación a menudo agradable (una vez más, especialmente cuando se lee en voz alta), resalta la importancia de la sonoridad de las palabras en contraposición a su significado. También clarifica la estructura y hace que el texto sea más fácil de recordar. La aliteración, por medio de la cual los comienzos de las palabras repiten las mismas letras, es también agradable, y del mismo modo conduce la atención a la sonoridad de las palabras.

repetición A continuación, consideremos el uso de la repetición – en nuestro ejemplo de Blake, para el propósito de comunicar información, solo necesitamos decir *Tyger* una vez, pero hacerlo dos veces da un comienzo enfático y dramático al poema. Luego observemos el número de veces en que la palabra *'what'* – *'qué'* – aparece a lo largo del poema, casi una décima parte del total de sus palabras. Esto, en combinación con su uso en construcciones como *'what the'* y *'and what'* parece producir un crescendo de asombro que atraviesa al poema, casi como el repique de un tambor. Finalmente, consideremos la repetición de la primera estrofa al final, una vez más en cuanto a información no es realmente necesaria pero estructuralmente confiere unidad a la totalidad del poema. Nótese también la única palabra que cambia en esa repetición final y la consiguiente fuerza proporcionada por ese cambio.

métrica Otra diferencia esencial entre mucha de la poesía y la prosa es el uso de la métrica en la primera. En inglés, esto tiene que ver con patrones de sílabas acentuadas y no acentuadas que dominan al texto. La métrica más famosa en inglés es el verso de mucha de la obra de Shakespeare, la cual consiste simplemente en una sílaba no acentuada seguida de una acentuada cinco veces por verso (por ejemplo, Shall **I** com-**pare** thee **to** a **sum**-mer's **day** – ¿Debo compararte con un día de verano?). En el poema *The*

Tyger, tenemos la métrica opuesta de una sílaba acentuada seguida de una no acentuada, esta vez ocurriendo aproximadamente cuatro veces por verso (por ejemplo: **in** the **for**-ests **of** the **night** – en los bosques de la noche). Del mismo modo que la rima, esta técnica puede ser agradable al oído, unifica y también brinda la posibilidad de romper el patrón para producir efectos de énfasis, sorpresa, drama, etc.

compresión En los poemas, también vemos una tendencia hacia la compresión, mientras que en la Prosa Llana, las oraciones avanzan lógicamente y están unidas en formas claras y bien establecidas – siendo la idea que, en prosa, la lectora tenga que hacer el menor esfuerzo posible para comprender lo que se está diciendo. Frecuentemente en los poemas se omiten palabras, especialmente aquellas que funcionan como conectores entre frases. Esto a menudo conduce a yuxtaposiciones desconcertantes donde la lectora debe esforzarse por comprender el significado, el cual puede, al final, incluso resultar ser ambiguo. Esta aparente falta de claridad no es una falla en la poesía sino uno de sus encantos y una de las razones por las cuales algunos poemas pueden ser releídos varias veces con nuevas interpretaciones posibles (algo que también podría decirse sobre los reportes policiales ¡en cuyo caso definitivamente no es una cualidad deseable!).

imaginería mejorada Como generalización, podemos decir que, comparada con la prosa llana, la poesía tiende a usar un rango más amplio y rico de imágenes y expresiones extraídas de una gama más extensa de fuentes posibles. En *The Tyger*, podemos ver palabras y frases de los mundos de la geometría, la religión, la herrería, la astronomía, la anatomía. Frecuentemente el poeta reúne diversas palabras para despertar nuevos conceptos, por ejemplo: bosques/noche, estrellas/lanzas, regaron/cielo, temible/simetría. No es solo la imaginación de quien escribe la que se amplía sino también la de quien lee. A menudo también las palabras aparecen en órdenes inusuales (a veces debido a la necesidad de encajar en la rima o en esquemas métricos), y esto una vez más conduce a quien lee a hacer una pausa y reflexionar. Como podemos ver en el poema *The Tyger*, el poeta puede lograr todo esto usando palabras muy sencillas que cualquiera puede entender y no necesita (aunque algunos poetas lo hacen) recurrir a términos inusuales o poco comunes.

complejidad En mucha de la poesía hay múltiples capas. Sobre la información fáctica de base, podemos tener, como ya hemos visto, métrica, rima, aliteración, imágenes, metáfora, interpretaciones alternativas, repeticiones, etc. Estas múltiples capas pueden entonces, interactuando unas con otras,

edge of nowhere

producir significados aún más complejos e interpretaciones alternativas que pueden cambiar con las sucesivas lecturas.

longitud Ahora consideremos la longitud – el poema *The Tyger* tiene 143 palabras (en la versión en inglés) pero contiene dentro de sí un universo entero – no podríamos imaginar quitar o agregar una sola palabra (mientras que en un texto como este libro, sería fácil insertar o eliminar miles de palabras). Esta economía y precisión cristalina conducen a una situación en la que cada palabra cuenta, y el poema, parafraseando a la coreógrafa alemana pionera Heidi Dzinkowska, '*¡dice lo que necesita decir y luego se detiene!*'. Esta destilación y concentración implican que la obra puede ser revisitada muchas veces para descubrir nuevas conexiones e ideas. En general (con algunas excepciones ya mencionadas), los poemas son cortos comparados con las novelas o incluso con los cuentos u obras de teatro (¡o manuales de coreografía!) pero más importante que la longitud promedio es la idea de que un buen poema dura precisamente lo que necesita durar, no más, no menos.

paráfrasis Una idea relacionada tiene que ver con la paráfrasis o el resumen de un texto – aquí, en la prosa, ambos son generalmente posibles y pueden mantener la esencia del original. En contraste, en la poesía, ambos comúnmente resultan en la destrucción de la esencia del poema. Es posible parafrasear o resumir creativamente un poema transformándolo en algo que tenga valor poético y calidad, pero esto es típicamente el resultado de la creación de algo más – en efecto, un nuevo poema. La forma más común de paráfrasis, es decir, la traducción de un texto en prosa o poema a otro idioma, ilustra claramente la diferencia; traducir prosa llana usualmente es muy sencillo, mientras que traducir poesía es una tarea plagada de dificultades y a veces incluso imposible. Por ejemplo, los patrones de acentuación de la métrica en inglés, los cuales discutimos recientemente, tienen equivalentes muy distintos en otros idiomas.

alquimia creativa Las mejores poetas pueden tomar palabras cotidianas y transformarlas por medio de una especie de alquimia en algo hermoso, expresivo, extraordinario, etc., la cristalización de algo único y exacto que parece al mismo tiempo ser nuevo y también haber existido desde siempre. Consideremos los primeros dos versos del poema *The Tyger*, donde podemos ver muchas de las técnicas señaladas anteriormente, es decir, repetición, aliteración, rima, métrica, metáfora. Sin embargo, por estos dos versos, existen miles de otros dos versos en el mundo de la poesía que, utilizando todas estas técnicas, permanecen banales e insignificantes. Esta habilidad para ver o crear algo nuevo a partir de un grupo de palabras comunes es, muy posiblemente, algo que no pueda ser enseñado. Aun así, podría ser que planteando esta posibilidad, dando herramientas para facilitarla e incentivando el enorme y arduo trabajo que implican tales descubrimientos, sea posible ayudar a quienes posean tales talentos poéticos innatos a descubrir su potencial.

Ahora debemos intentar trasponer estas ideas del mundo literario al mundo de la danza. Una pregunta que surge inmediatamente es, '*¿qué es la Danza de Prosa Llana?*'. Por analogía, debe ser la danza que se centra únicamente en la información de danza a expensas de cómo esta es desarrollada. ¿En qué consisten la información y los datos de esta danza de prosa? – consisten, por supuesto, en las posiciones y los movimientos de las bailarinas. Si estos son presentados de una manera práctica y mundana, tendremos el equivalente al más llano de los textos en prosa. Volviendo al concepto de paráfrasis, podemos considerar la idea de parafrasear movimientos en palabras, y encontraríamos que el Movimiento en Prosa debería ser más sencillo de parafrasear. En contraste, el Movimiento Poético debería ser difícil de describir verbalmente. Además, como su equivalente textual, la Danza de Prosa tendrá ciertas progresiones lógicas preestablecidas (sujeto, modificador, verbo, objeto, adverbio, cláusula subordinada, etc.) que la harán muy predecible en contraste con las yuxtaposiciones desconcertantes y la sorpresa de la Danza Poética.

Por supuesto que alcanzar la más llana de las Danzas de Prosa puede ser la intención del coreógrafo, y si esto es así, entonces está bien seguir ese camino (quizás no para el público, aunque supongo que debe haber gente que disfruta de leer reportes policiales por diversión). Pero, para quienes deseen moverse hacia una danza más poética, podemos aprender algunas lecciones a partir de experiencias del mundo de las palabras.

lección uno: En los poemas, los cortes de verso y de estrofa pueden clarificar pero también oscurecer el significado y la estructura, dar a la oyente tiempo para internalizar lo que acaba de suceder y dejar que la obra respire. Del mismo modo en la danza, el uso de cortes en secuencias de movimiento y el ordenamiento en subsecciones puede evitar el problema que vemos en algunas coreografías de movimientos interminables, desordenados y continuos. Así como en la poesía, las progresiones lógicas también pueden ser desarmadas.

lección dos: El equivalente en danza de la rima y la aliteración es el cierre o comienzo de una secuencia de movimiento con una posición o movimiento memorable y característico, luego haciendo lo mismo con las distintas secuencias siguientes con una variante similar o cercana. Este encabezado o cierre clarifica la estructura y, como sus equivalentes poéticos, puede tener un sentido agradable de resolución o compleción.

lección tres: La métrica o el uso de sílabas acentuadas y no acentuadas puede transferirse a movimientos acentuados y no acentuados. Tal como veremos en el capítulo Ritmo, hay muchos modos de producir acentos en el movimiento. La falla de cualquier coreógrafo en comprender la importancia de los acentos de movimiento, cómo crearlos y sus posibilidades, inevitablemente resultará en creaciones de danza que lucirán insulsas y carentes de vida. Aún más, toda inhabilidad de los coreógrafos para definir acentos de movimiento también implica que deben depender de que la música provea los acentos en sus obras, y caer bajo la amenaza ancestral de la danza simplemente siguiendo a la música en lugar de ser una par independiente.

lección cuatro: En lugar de solo considerar a la danza como el movimiento abstracto de diferentes partes del cuerpo, la danza como poesía puede explotar un amplio rango de referencias. Estas incluyen alusiones a actividades del mundo cotidiano (ver el capítulo sobre Movimiento Pedestre), gestos, movimientos faciales y de manos, imágenes reconocibles e incluso icónicas. Algunas tradiciones de danza han hecho un gran desarrollo en algunas de estas áreas (por ejemplo las danzas de la India o la danza Butoh), y alentaríamos a las aspirantes a Coreógrafas Poéticas, cualquiera sea la tradición de danza de la que provengan, a examinar y explorar una amplia gama de prácticas distintas de las propias en busca de inspiración.

lección cinco: La complejidad y el entramado de distintos elementos en una coreografía (incluyendo a aquellos mencionados en las lecciones anteriores) pueden producir una rica textura donde las diferentes capas pueden reaccionar unas con otras generando aún más posibilidades interpretativas. En la sección sobre Transiciones, veremos que el dominio de Transiciones Complejas es una de las tres cosas más importantes que una coreógrafa puede aprender. Si agregamos a esta combinación elementos no dancísticos, incluyendo Texto, Imaginería Visual, Música, podemos ver cómo sería posible crear algunas de las obras de arte más ricas posibles – una verdadera *Gesamtkunstwerk* (obra de arte total).

lección seis: Como dijimos antes, los poemas generalmente son cortos y duran justo lo que tienen que durar. En un mundo ideal, las obras de danza podrían y deberían gozar de este lujo. Sin embargo, una obra de danza vive en un mundo diferente al del poema. La obra de danza (en particular la obra de danza interpretada en vivo) existe en una situación en la que tiene que ser presentada con todas las consideraciones prácticas de programación, performers, financiamiento, espacios escénicos, etc. Notablemente, el poema también tiene la posibilidad de ser frecuentemente revisitado y por eso puede darse el lujo de ser poco claro y difícil. En contraste, la performance de danza a menudo será vista solo una vez (quizás en toda la vida). A pesar de estas salvedades, es necesario decir que dentro de casi toda obra de danza, hay una obra de danza más corta gritando por salir. Cuando la masa de la pizza se estira demasiado, aparecen agujeros en ella, y hay pocas cosas más deprimentes que estar sentado en medio del público viendo tristemente a través de los agujeros de una performance de danza.

lección siete: En la Danza Poética, la Alquimia Coreográfica debe tomar las Posiciones Clave, que son algo común y corriente, y transformarlas en algo único y sobresaliente. El primer pequeño paso sucederá en la combinación de Posiciones Clave en Transiciones, pero el mayor salto ocurrirá en la creación de Patrones y, en particular, de Patrones de Frase (ver capítulo Cuatro). Como dijimos antes con respecto al texto, esta alquimia creativa es posiblemente una habilidad que no puede ser enseñada, pero en la danza, hay un problema adicional que puede obstaculizar el desarrollo de esta habilidad en el coreógrafo. En la poesía, en cierto sentido, no hay lugar donde esconderse; la lectora lee los versos y decide si esta mágica transformación, esta alquimia, ha tenido lugar. De modo similar, en la música, la compositora toma las mismas notas, duraciones, acordes que cualquier otra compositora utiliza, los combina, y es usualmente sencillo para quien oye diferenciar lo trivial de lo extraordinario, lo aburrido de lo conmovedor. En la danza, sin embargo, es posible que las coreografías ordinarias estén enterradas en un mar de distracciones de escenografía, vestuarios, destreza física, iluminación, tecnología, etc., que disfrazan su mediocridad, y esto no es bueno para el desarrollo del coreógrafo. Estos otros elementos no son poco importantes, como ya hemos dicho, y en combinación con una buena coreografía, se suman a una situación en la que el todo es más grande que las partes – pero si los cimientos coreográficos son débiles, esos elementos quedarán como una mera distracción.

Estas siete lecciones son simplemente un resumen de algunas de las posibilidades de la Danza Poética, y los aspectos prácticos sobre cómo pueden ser alcanzadas serán la intención de los siguientes capítulos. El modo en que pueden ser implementadas en piezas de danza concretas será examinado en los Estudios de Caso. Tal como se mencionó, el mundo literario de la Prosa y la Poesía no es una dualidad sino un espectro. Del mismo modo, los mundos dancísticos de la Danza de Prosa y la Danza Poética son también un continuo, y las coreógrafas pueden elegir cuán lejos ahondar en este mundo de la danza poética.

Deberíamos también resaltar, no estamos insinuando aquí que la prosa sea de algún modo mala y que la poesía sea buena. Ambas tienen diferentes funciones y pueden estar bien o mal escritas; de hecho, parafraseando a Longfellow, '*cuando la poesía es buena, es efectivamente muy buena, pero cuando es mala es horrorosa*'. A los fines de nuestras discusiones, simplemente pediremos a la lectora que use para la comparación a lo mejor de ambos mundos.

También hemos hablado en la Introducción acerca de esa otra dualidad entre la Danza Anárquica y la Danza Poética. Esperamos que ahora vaya volviéndose más claro que lo que separa a las dos es quizás más una cuestión de inmediatez que de sustancia. Puesto en palabras simples, la anárquica quiere moverse más rápido y más temerariamente hacia lo nuevo, mientras que la poética es tal vez más mesurada y considerada – pero ambas comparten los mismos objetivos disruptivos. Una cuestión importante a destacar en este contexto es que la idea de la Danza Poética no está de ningún modo relacionada con el tono de la obra y que la Danza Poética puede ser feroz, agresiva, fea y peligrosa así como reflexiva, hermosa, calma y segura – tal como lo puede ser la poesía literaria.

2 elementos uno – posiciones clave

Quizás el modo más simple de describir a las Posiciones Clave es si imaginamos tomar una serie de fotografías de una performance de danza en momentos significativos – la posición espacial del cuerpo de la bailarina y sus distintas partes en cada uno de esos momentos es, en efecto, una Posición Clave. Es esencial entender que las Posiciones Clave usualmente existen en pasaje; no son poses que se sostienen sino que son transitorias y no tienen realmente una duración (a excepción de la Posición Clave Pausada; ver más abajo). En una performance de danza típica, puede haber muchas de estas Posiciones Clave unidas entre sí mediante Transiciones.

Las Posiciones Clave no deberían ser confundidas con algunas de las posiciones definidas de, por ejemplo, las danzas de la India o las posiciones de ballet clásico – estas pueden presentarse como Posiciones Clave pero, en general, las Posiciones Clave son mucho más detalladas e idiosincráticas. La mayoría de las veces, estas son específicas para una obra determinada y, en este caso, puede ser útil que tengan cierta claridad visual que sea memorable para el público.

En una secuencia de danza de cinco minutos, ¿cuántas Posiciones Clave puede haber? Esto depende del estilo de danza, por ejemplo, en una obra de Butoh donde la performer simplemente eleva su mano hacia su boca durante toda una sección, podríamos estar hablando de dos. Por otro lado, en una obra que tenga movimiento continuo complejo podría decirse que habrá un número casi infinito de Posiciones Clave. Para que sea útil, necesitamos limitar este gran número a algo que sea manejable, y algunos conceptos pueden ayudarnos a delimitar Posiciones Clave significativas – a continuación detallaremos algunos de estos.

posición clave inicial/final Esta es la posición inicial o final del cuerpo de la(s) bailarina(s) en la obra o sección. El comienzo y el final de la obra o sección pueden ser denotados de muchas maneras: el comienzo y final de la música, un telón siendo abierto/cerrado, las luces encendiéndose o apagándose en el escenario, la bailarina comunicando el comienzo o final al público (por ejemplo, el momento de *'ruptura del hechizo'* al final de la obra). Puede haber situaciones en las que no haya comienzos o puntos finales claros en la danza (por ejemplo en performances de larga duración o performances en *loop*). Aun así, generalmente, las posiciones Inicial y Final son claras; puede que sean la misma o no, puede que sean una postura neutra, puede que ocurran de manera significativa como Posiciones Clave en el cuerpo de la obra o solo al comienzo o final.

posición clave pausada Esto es cuando la bailarina deja de moverse y sostiene la posición por una duración de tiempo y, para el público, estas son Posiciones Clave muy obvias. Como ya mencionamos antes, las Posiciones Clave pueden ser consideradas como fotos instantáneas y aquí, la bailarina está haciendo lo que la fotógrafa hace, pausar el tiempo. La pausa puede tener también un poco la cualidad de una pose, donde las personas fotografiadas adoptan cierta posición, a veces exagerada, para lograr una buena foto. En una obra de danza, esta acción de posar también puede ser usada deliberadamente, pero más a menudo, la Posición Clave Pausada es simplemente una parte natural de la coreografía.

Es posible considerar a la Posición Clave Pausada como si consistiera de dos Posiciones Clave idénticas, una sucediendo al comienzo de la pausa y la otra al final y entre medio de ambas una Transición Cero. Tal como veremos cuando discutamos Transiciones y Ritmo, esta forma de ver puede ser beneficiosa para clarificar la ubicación temporal de la pose. Las Posiciones Clave Pausadas (ya sea que las consideremos como posiciones simples o dobles) son una de las herramientas esenciales de la coreógrafa. En primer lugar, como ya mencionamos, estas identifican muy claramente cualquier Posición Clave. En segundo lugar, funcionan como el equivalente a la puntuación en un texto o a un silencio en la música para clarificar los comienzos y cierres de fraseo.

Un error que a veces cometen los coreógrafos es enlazar una serie de Transiciones en movimiento interminables, sin pausa alguna, lo cual es tan confuso para el público como leer un libro sin comas ni puntos. En la Danza Poética, estas pausas pueden ser usadas para definir el equivalente en danza a los cortes de verso y, cuando son más largas, a los espacios entre estrofas.

posición clave de ancla Esta es otra herramienta muy útil para la coreógrafa. Aquí una Posición Clave es establecida y reforzada por medio del retorno a la misma varias veces en el transcurso de una sección. Esto hace tres cosas: clarifica, a través de la repetición, que esa posición es efectivamente una Posición Clave en la mente de la espectadora. En segundo lugar, da un carácter específico a esa sección de la coreografía, es decir, la posición, especialmente si es de algún modo característica o inusual, se vuelve una especie de minimotivo que puede ser abstracto o estar conectado con alguna idea dramática o emocional. En tercer lugar, la Posición Clave de Ancla puede ayudar a definir Patrones u otros elementos estructurales que componen la sección. En el contexto de la Danza Poética, estas Posiciones pueden funcionar como equivalentes de la Rima si son utilizadas al final de las secuencias, o como equivalentes de la Aliteración si son usadas al comienzo.

posición clave de extremo Esta posición es simplemente el punto en el cual un movimiento (por ejemplo levantar el pie o torcer el brazo) llega tan lejos que no puede progresar más. Por su naturaleza, estas Posiciones suelen estar conectadas a Posiciones Clave de Cambio de Dirección o Posiciones Clave Pausadas dado que, en la posición de extremo, la bailarina debe quedarse allí o bien moverse en una dirección diferente.

posición clave de cambio de dirección Estas ocurren en el punto en el que parte del cuerpo ha estado desplazándose en una dirección y ahora comienza a desplazarse en una dirección diferente - pueden ser consideradas como las *'esquinas'* de los movimientos, y tal como las esquinas reales, pueden ser pronunciadas o suaves dependiendo de la dinámica de la obra.

posición clave neutra Este extraño concepto refiere a cuando la bailarina se encuentra en un estado neutro (¡se podría pensar en esto como si fuera un soldado en posición de descanso!) y es casi, por definición, una Posición Clave Pausada. Puede ser útil al trabajar con bailarinas como punto de partida a la hora de definir una nueva Posición Clave - es decir, como una suerte de botón de Reseteo. Es posible describir cada Posición Clave a partir de modificaciones sobre la posición precedente, pero en situaciones complejas puede ser útil simplemente volver a la Posición Clave Neutra y modificar esta.

En este libro definiremos a la Posición Clave Neutra como una sola bailarina parada mirando hacia adelante, con brazos a los costados del cuerpo, palmas orientadas hacia las piernas, pies juntos. No obstante, usualmente, una coreógrafa escogerá una Posición Clave Neutra que sea pertinente para la obra, por ejemplo, si la bailarina está sentada a lo largo de toda la sección, entonces la Posición Clave Neutra debería tener a la bailarina sentada.

posición clave reconocible Esto es cuando la bailarina adopta una posición que es familiar y *'legible'* para el público, por ejemplo, la postura de una boxeadora con los puños arriba o una posición de *'me rindo'*, con las manos en alto. Estas pueden ser más genéricas o icónicas, por ejemplo, el gesto de *El Grito* de Munch, una crucifixión, la marioneta *Petrushka* de Nijinsky, la representación de *La Última Cena*.

Estas Posiciones pueden ser usadas simplemente por su apariencia visual; no obstante, su significado y sentido pueden ser también incorporados dentro de la estructura dramática de la obra de danza o utilizados para definir el carácter de la bailarina. En el contexto de la Danza Poética, esta es una herramienta esencial para introducir capas de información y posiblemente para el desarrollo de metáforas.

metáfora visual (posición clave) Aquí, como en las Posiciones Clave Reconocibles, la posición del cuerpo de la bailarina puede ser leída por el público, pero en lugar de referir a algo directamente, la imagen alude a algo más. Dos manos pueden representar a dos personas, los brazos extendidos pueden representar un árbol, etc. Ya hemos visto en el primer capítulo cuán importante es la metáfora en poesía, y así también en la Danza Poética, puede agregar capas de sentido y lecturas alternativas a la obra. He examinado este aspecto en profundidad en el Capítulo Cinco de *Anarchic Dance.*

posición clave geométrica Esto es cuando la bailarina adopta formas geométricas específicas con varias partes del cuerpo, por ejemplo, cuadrados, triángulos, círculos, etc. La creación de formas geométricas puede ser reforzada y clarificada mediante el uso de extensiones corporales (ya sea específicamente diseñadas para este propósito o bien accesorios introducidos por otras razones) como en el trabajo de Oskar Schlemmer.

posición clave paralela Algunas Posiciones Clave Geométricas particularmente hermosas implican la creación de líneas Paralelas (¡mencionamos que Euclides fue una inspiración para este libro!). Estas normalmente (pero no exclusivamente) involucran a los brazos o piernas, y obtienen su fuerza de una cierta cualidad abierta (comparadas con algunas de las otras formas geométricas) y de la sensación de infinito que sugieren.

posición clave simétrica Dado que el cuerpo humano tiene una obvia simetría izquierda/derecha, se infiere que posicionando las piernas, pies, brazos, manos (o cualquier combinación de estos) en la misma posición pero espejada, podemos mantener esta agradable simetría. Además de verse interesante en sí misma, la simetría también puede ser usada para resaltar la naturaleza geométrica de algunas posiciones, por ejemplo, con las manos por encima de la cabeza y las palmas tocándose, los brazos extendidos de la bailarina definen un rombo.

posición clave en el aire Si la bailarina salta, entonces normalmente habrá una Posición Clave al comienzo y al final, pero puede ser útil agregar otra Posición Clave para definir la forma del cuerpo de la bailarina a medida que el movimiento progresa. Esta generalmente tiene lugar a mitad de camino, en el punto más alto del salto, y por eso podría ser considerada como un caso particular de Posición Clave de Extremo o Posición Clave de Cambio de Dirección. ¡Puede que sea más fácil definir este tipo de Posición Clave con la bailarina sobre el suelo!

posición clave espacial Surge la pregunta, ¿debería la Posición Clave contener información sobre dónde está ubicada la bailarina en el espacio performático? En general, diríamos que no, dado que es muy común que la misma Posición Clave suceda en muchas ubicaciones distintas. En lugar de crear una nueva Posición Clave para cada una de ellas, es más fácil simplemente describir la situación como *la misma Posición Clave pero allá*. Sin embargo, hay instancias de movimientos espaciales de ubicación más rigurosa en las que esta información puede ser incluida – discutiremos esto en profundidad en el capítulo Ubicación/Desplazamiento.

posición clave auxiliar Es posible hacer de absolutamente cualquier posición una Posición Clave; sin embargo, sin usar los atajos antes mencionados, es simplemente un poco más difícil establecer la Posición Clave en la mente del público, y por lo tanto es bastante probable que el público pueda no ser consciente de esta en absoluto. Esto plantea la importante distinción entre, por un lado, Posiciones Clave que la coreógrafa desea que el público perciba y, por otro lado, Posiciones Clave que la coreógrafa simplemente está utilizando como un recurso para comunicar la coreografía a las bailarinas. En el segundo caso, está bien que el público no esté al tanto de ellas.

Si algunos de estos conceptos resultan poco claros en este punto, esperamos que puedan clarificarse a medida que avancemos a través de los siguientes capítulos y, en particular, de los Estudios de Caso. Hemos incluido algunas Posiciones Clave más avanzadas en el Apéndice al final de la primera sección del libro.

Para aquellas coreógrafas que no estén habituadas a pensar en términos de Posiciones Clave, algunas maneras de encontrarlas son:

- Las Posiciones Clave que son partes estandarizadas de un vocabulario estilístico, como en el caso del ballet o las danzas de la India.

- Las Posiciones Clave pueden ser sugeridas por algunos eventos narrativos en la obra.

- Las Posiciones Clave pueden *'tomarse prestadas'* de obras previas de la coreógrafa o incluso de otras coreógrafas, incluyendo especialmente a aquellas que trabajan en estilos diferentes.

- Las Posiciones Clave pueden ser encontradas en el mundo circundante, no solo en la vida real sino también en el cine, la televisión, internet, etc. Esto también incluye imágenes estáticas tales como pinturas, fotografías, dibujos, etc.

- Las Posiciones Clave pueden ser creadas modificando otras Posiciones Clave o a través de Transiciones, como veremos en el próximo capítulo.

- Las Posiciones Clave también pueden ser útilmente generadas a través del trabajo de Taller Focalizado, como veremos en el capítulo Taller.

3 elementos dos – transiciones

Para ir desde cualquier Posición Clave hacia la siguiente, la bailarina debe moverse. A estos movimientos los llamaremos aquí Transiciones. Una pregunta inmediata que surge, que ya hemos mencionado antes es, ¿cuáles son más importantes, las Posiciones Clave o las Transiciones? En general, muchos coreógrafos parecerían enfatizar las Transiciones, dado que estas implican movimiento, lo cual parece ser para ellos la base de la danza. La respuesta depende del estilo y naturaleza de la danza misma. Hemos considerado esencial enfatizar a las Posiciones Clave ubicándolas en primer lugar por varias razones – primeramente para traer un equilibrio más uniforme entre Posiciones Clave y Transiciones – en segundo lugar porque las Posiciones Clave son una manera obvia y directa de enseñar coreografías a bailarinas – y en tercer lugar porque hacer foco en ellas puede ser usado como una herramienta para renovar prácticas de danza desgastadas.

transición simple Una Transición Simple es un movimiento de una Posición Clave a la siguiente que involucra solo a una articulación. Para Euclides, el maestro griego de la geometría a quien mencionamos en la Introducción, el camino más directo desde un punto a otro era la línea recta. En danza, sin embargo, la línea recta no es tan sencilla de lograr y, en su lugar, tenemos al arco. Esto es así porque el cuerpo está articulado, y cualquier movimiento de una de las articulaciones resulta en un movimiento curvo al final de la extremidad u otra parte del cuerpo. Si comenzamos con nuestra Posición Clave Neutra (como mencionamos en el capítulo previo, una sola bailarina parada mirando hacia adelante, con brazos a los costados del cuerpo, palmas orientadas hacia las piernas, pies juntos) y la siguiente Posición Clave 2 consiste en la bailarina mirando hacia la izquierda, podemos Transicionar mediante un simple movimiento de la articulación del cuello con la nariz trazando el arco. Si la Posición Clave 3 es similar a la Posición Clave 2 pero con la parte inferior del brazo derecho extendida directamente hacia adelante, esto puede ser logrado con una Transición Simple que involucre al codo derecho con la mano trazando el arco.

Como mencionamos, las Posiciones Clave se establecen en momentos fijados en la duración de la pieza de danza (a menudo conectadas a esos momentos mediante referencias musicales o textuales). La velocidad general del movimiento dependerá de cuán separadas en el tiempo estén las Posiciones Clave. Si se encuentran muy cerca entre sí en la línea de tiempo, el movimiento es más rápido, mientras que si se encuentran más alejadas entre sí el movimiento será más lento. La mayoría de los movimientos toman aproximadamente un cuarto de un conteo de, supongamos, ocho tiempos. La velocidad promedio del movimiento está gobernada por la ubicación de las Posiciones Clave; no obstante, dentro del movimiento, puede haber una gran variedad de velocidades.

Supongamos que nuestras dos Transiciones Simples tienen ambas cuatro tiempos de duración – los dos movimientos podrían simplemente tomar los cuatro tiempos desarrollándose a una velocidad continua. De modo alternativo, los movimientos podrían comenzar lentamente y luego volverse más rápidos hacia el final, o comenzar rápidamente y luego ralentizarse al final. Podemos ver que cualquiera de estos simples cambios comienza a introducir contenido emocional, por ejemplo, la velocidad promedio neutra puede dar una sensación de calma y control, la aceleración puede proveer una impresión de impetuosidad, la ralentización un sentido de duda o incertidumbre.

transición doble Estas resultan cuando hay dos diferencias entre una Posición Clave y la siguiente. Para ilustrar esto consideremos el ejemplo previo de nuestras transiciones simples, pero ahora imaginando que la Posición Clave 2 incluye a la boca completamente abierta (además de la cabeza girada hacia la izquierda), y la Posición Clave 3 tiene a la palma de la mano derecha orientada hacia el suelo (además del antebrazo extendido). Con respecto a la temporalidad del movimiento, la forma más simple es con ambos movimientos (por ejemplo el giro de la cabeza y la apertura de la boca) teniendo lugar de modo continuo a lo largo de los cuatro tiempos. Además de las variaciones temporales mencionadas en la Transición Simple, ahora tenemos las posibilidades adicionales de los dos componentes teniendo líneas de tiempo independientes, por ejemplo, la boca puede abrirse cerca del comienzo del movimiento del cuello o al final. De modo similar, la muñeca puede girar la mano hacia el final del movimiento del brazo. Estos desfasajes inmediatamente hacen a los movimientos más expresivos y humanos. Si hay un punto claro en el tiempo donde uno de los pares de movimientos comienza, y esto es importante (por ejemplo, si múltiples bailarinas están estrictamente sincronizadas o si hay algún pie musical), podríamos considerar insertar una nueva Posición Clave en ese punto. Si esto no es necesario y la temporalidad puede ser adecuadamente descrita, es mejor no saturar la estructura con demasiadas Posiciones Clave.

Aunque podríamos ver a los dos movimientos como independientes pero solo coincidiendo, muchas veces, estos están íntimamente relacionados, y esto distingue de manera sustancial a un movimiento del simple mover las partes del cuerpo (Danza de Prosa) a una forma de arte expresiva (Danza Poética). Consideremos nuestra simple elevación del brazo derecho y también el simple giro de la muñeca para hacer que la palma de la mano se oriente hacia abajo y podemos ver una riqueza de posibilidades expresivas. Ahora recordemos las varias temporalidades para ambos – la mano gira al final o al comienzo del movimiento del brazo o durante el mismo, las velocidades relativas de los dos, etc. – estamos aquí en el reino en el que la suma de los dos es infinitamente más grande que los movimientos individuales. Una transición doble perfectamente ejecutada, a pesar de parecer simple, puede ser una de las cosas más hermosas en toda la danza.

transición compleja Estas tienen lugar cuando entre una Posición Clave y la siguiente, tres o más aspectos del cuerpo de la bailarina han cambiado. Todas las ideas discutidas en el párrafo anterior aplican, pero con resultados y posibilidades aún más sutiles. El poder expresivo infinito de la Transición Compleja no puede ser subestimado, y el dominio de estas Transiciones Complejas es, por lo tanto, probablemente el desafío más importante para la aspirante a coreógrafa.

Una nota de advertencia, sin embargo – si las transiciones se vuelven excesivamente complejas, puede ser difícil para el público descifrarlas y la claridad del movimiento puede perderse – como dijimos antes, una transición doble puede ser perfecta en sí misma. Este equilibrio entre complejidad y simpleza es una de las habilidades fundamentales que una coreógrafa debe aprender.

transición cero Esto es exactamente lo mismo que la Posición Clave Pausada discutida en el capítulo previo – simplemente estamos observando el mismo resultado desde una perspectiva diferente. Desde el punto de vista del pensamiento basado en Transiciones, la Transición Cero es un *movimiento que no se mueve* y puede ser considerada como el equivalente a un silencio en música o a una coma o punto en un texto, o incluso, a la pausa al final de un verso en poesía. Si consideramos obras de música, poesía o texto sin esos elementos, podemos ver que esto conduciría al caos y a la ausencia de claridad. Extrañamente, sin embargo, algunos coreógrafos parecen no preocuparse por esto y, al no usar Transiciones Cero, terminan con obras que son desordenadas y confusas. Pero, ¿podemos llamar Transición Cero a una Transición si esta no se mueve? No solo que podemos, sino que incluso quizás podemos decir que esta es la Transición más importante de todas.

En el capítulo sobre Patrones veremos cuán importantes son las Transiciones Cero en el agrupamiento de elementos y cómo ayudan a definir Acentos en el capítulo de Ritmo. Aparte de estas cuestiones estructurales, las Transiciones Cero también pueden ser poderosas tanto dramática como emocionalmente, introduciendo tensión, sorpresa, contemplación, indecisión, etc. Puede haber casos en los que no usar Transiciones Cero pueda ser efectivo, como en emocionantes secuencias muy rápidas o en Transiciones Fluidas (de las cuales hablaremos más adelante). Incluso en esos casos, las Transiciones Cero correctamente ubicadas casi siempre colaborarán con el efecto deseado. En pocas palabras, las Transiciones Cero (o si preferimos, Posiciones Clave Pausadas) son uno de las pilares de la Danza Poética, y la ausencia de ellas es un signo seguro de Danza de Prosa (aunque, para ser justos, ¡ni el más tedioso de los textos en prosa renunciaría a sus comas y puntos!).

transición desarrollada Los músicos expertos (especialmente cantantes e instrumentistas de cuerda) tienen la habilidad de, a través del curso de una nota larga, desarrollarla expresivamente cambiando el vibrato, las dinámicas, los timbres, etc. De modo similar, la bailarina puede tomar un único movimiento y cambiar sus características a medida que este progresa alterando su velocidad, tensión, relajación, etc. Esto podría ser visto como una forma de Transición Compleja, pero aquí el énfasis está puesto en un claro movimiento subyacente modulado por distorsiones mucho más pequeñas. Se podría argumentar que casi todas las Transiciones lentas deberían ser realmente Transiciones Desarrolladas, dado que este uso de cambios sutiles en el curso de un movimiento es lo que les confiere su intención y significado.

transición instantánea Es físicamente imposible pasar de una Posición Clave a otra diferente al instante (es decir, sin que transcurra tiempo); sin embargo, es ventajoso describir algunos movimientos como si sucedieran instantáneamente, bajo el entendimiento de que sucederán tan rápidamente como sea posible.

Es mucho más fácil para las bailarinas terminar las Transiciones Instantáneas en el tiempo; no obstante, cuando en realidad comienzan en el tiempo estas transiciones pueden dar un tipo de cualidad explosiva a la coreografía. Una forma artificial de presentar Transiciones Instantáneas es apagar las luces mientras la bailarina se mueve y volverlas a encender cuando la bailarina ha alcanzado la siguiente posición clave. Un modo más sencillo es usar una luz estroboscópica, con la transición teniendo lugar en la oscuridad.

transición circular Este es un movimiento que se aleja de una Posición Clave para retornar a la misma Posición Clave en un único gesto. Se podría definir a la Transición Circular como dos Transiciones separadas con una Posición Clave en el lado opuesto del círculo (y a veces esto es una buena idea, en tanto que define claramente la extensión y forma de la Transición), pero a menudo es más simple describirla como una única entidad. La Transición Circular no necesita ser circular sino que puede consistir en cualquier forma fluida que termine donde empezó, por ejemplo, una elipse.

transición separada Esto es cuando una serie de Transiciones están separadas por momentos de quietud, de modo tal que el movimiento solo ocupa un porcentaje del tiempo disponible hasta la siguiente Transición, por ejemplo un 50%. Podríamos definir a la Transición Separada como dos Transiciones, es decir, una que se mueve y luego una Transición Cero, pero si el patrón de movimiento es constante, es más simple tratarla como una transición única. La técnica es usualmente estilizada y a menudo tiene un efecto hipnótico cuando es lenta.

transición reconocible Como sus equivalentes, las Posiciones Clave Reconocibles, estos son movimientos que el público puede reconocer de la vida cotidiana, por ejemplo, el gesto de una mano saludando o un gesto de *'te veo'* con dos dedos apuntando a los propios ojos y luego a quien recibe el gesto. Tal como las Posiciones Clave Reconocibles, estas pueden ser más genéricas o de hecho icónicas, por ejemplo un gesto de nariz de *Pinocho*, un saludo de *Namasté*, etc. Estas Transiciones pueden ser usadas simplemente por su apariencia visual; no obstante, su significado y sentido pueden ser también incorporados dentro de la estructura dramática de la obra de danza o utilizados para definir el carácter de la bailarina. Aquí también hay una superposición con el Movimiento Pedestre, sobre el cual discutiremos en su propio capítulo y con las Acciones, sobre las cuales hablaremos al final de este capítulo.

metáfora visual (transición) Aquí, como en las Transiciones Reconocibles, los movimientos del cuerpo de la bailarina pueden ser leídos por el público, pero en lugar de referir a algo directamente, las imágenes aluden a algo más (tal como vimos con la Metáfora Visual en relación a la Posición

Clave). Por ejemplo, dos manos acercándose pueden representar a dos personas que se encuentran, los brazos extendiéndose gradualmente pueden representar a un árbol creciendo. A partir de estos dos ejemplos, se puede ver que la Metáfora Visual muy frecuentemente engloba tanto a las Posiciones Clave como a las Transiciones al mismo tiempo, pero estas pueden ser independientes, por ejemplo ciertas Transiciones oscilantes pueden funcionar como metáfora para el viento sin Posiciones Clave relacionadas. Además, es común que las Metáforas Visuales sean sugeridas por pies sonoros o indicios en un texto, los cuales ellas pueden luego desarrollar, pero también pueden ser completamente autónomas.

transición conjunta Aquí dos partes del cuerpo se encuentran unidas, por ejemplo una mano sobre una rodilla, y ambas realizan la Transición juntas, manteniendo esa unión. Para que resulte claro para el público, esto usualmente tiene que sostenerse durante una serie de Transiciones.

transición de automanipulación Aquí la bailarina mueve una parte de su cuerpo con otra parte (usualmente con la mano). Para distinguir esta Transición de una Transición Conjunta, la bailarina puede indicar la idea - mediante la manera en que la Transición es preparada – mediante el uso de resistencia en la parte movida – por medio del modo en que se sale de la transición (usualmente dejando a la parte que fue movida estática en su nueva posición). La Transición de Automanipulación es muy poderosa en tanto puede desencadenar ideas de impotencia, distracción, pérdida de control, etc., pero también puede resaltar el modo en que el cuerpo se mueve tratándolo como una especie de objeto inanimado.

transición disfrazada Aquí una transición comienza en dirección contraria al movimiento principal, el cual generalmente va en la dirección exactamente opuesta. Esta falta de claridad inicial es beneficiosa para humanizar a los movimientos mediante la introducción de una cierta indecisión (imaginemos que un brazo robótico quiere tomar un objeto - va directamente por él). Además de suavizar la coreografía, la técnica también permite que la transición propiamente dicha se vea enfatizada, dado que el movimiento principal resultante puede cubrir más superficie de la que hubiese cubierto sin el disfraz inicial. Sería posible hacer de esto dos Transiciones separadas, pero en casos como este donde la intención es clara, a menudo es más simple no hacerlo.

transición simétrica Cuando una bailarina se mueve de una Posición Clave Simétrica a otra, usualmente lo hace a través de una Transición Simétrica (el salto en estrella es un típico ejemplo de esto), y estos pueden ser movimientos muy interesantes. Sin embargo, cabe señalar que es posible moverse de una Posición Clave Simétrica a otra sin usar Transiciones Simétricas, lo cual puede ser también intrigante.

transición de reseteo Esta es una transición en la que la bailarina es devuelta a la Posición Clave Neutra y usualmente implica deshacer de una sola vez las varias transiciones que han alterado las posiciones del cuerpo de la bailarina. Esto tiene el efecto de hacer borrón y cuenta nueva, preparando para un nuevo comienzo, y además de poderosas implicancias estructurales también puede tener fuertes connotaciones emocionales o dramáticas - como si la bailarina estuviera rechazando lo que sucedió en la sección previa. Dado que la Transición de Reseteo usualmente involucra a muchas partes distintas del cuerpo, puede ser una Transición Compleja notable en sí misma.

transición fluida Una Transición Fluida es aquella en la que una serie de Transiciones continúa de manera homogénea de una a la otra sin cambios abruptos de direcciones (¡sin esquinas!) y puede, por lo tanto, ser vista como una única Transición larga. No obstante, usualmente es más sencillo usar múltiples Transiciones (y Posiciones Clave) para clarificar los detalles y temporalidades del movimiento, dado que la Transición Fluida puede ser bastante larga (a veces incluso una sección entera de la obra). Las Transiciones Fluidas suelen tener una calidad meditativa reminiscente del Tai Chi o del Qi Gong y son muy cautivantes, además de generalmente muy efectivas. Sin embargo, algunos bailarines y coreógrafos contemporáneos dependen demasiado de ellas (o incluso exclusivamente) en la creencia errónea de que la fluidez automáticamente equivale a soltura y expresividad. Mientras que estas pueden funcionar por cinco minutos, al extenderse por períodos de tiempo más largos, se vuelven insípidas y aburridas.

transición de presentación Esta transición lleva la atención a otra transición, Posición Clave, o parte del cuerpo – que puede ser de la propia bailarina o de otra bailarina. Esto puede tener una doble función – en primer lugar, puede llevar el foco de atención de la espectadora a algo que de otro modo podría perderse - pero en segundo lugar, puede ser usado para enfatizar algún aspecto del carácter de la bailarina (vanidad, orgullo), frecuentemente en un tono humorístico.

acciones Algunos movimientos, especialmente los más cotidianos y los movimientos pedestres (véase dicho capítulo), se pueden describir más fácilmente con una Acción en lugar de usar Posiciones Clave y Transiciones - por ejemplo, pestañear, aplaudir, hablar, dar un paso, etc. En estos casos, la acción específica puede ser simplemente puesta en la línea de tiempo ya sea en un único punto o entre dos puntos.

Además de las antes mencionadas, hemos incluido algunas Transiciones más avanzadas en el Apéndice al final de la primera sección del libro.

Volvamos a la pregunta, ¿cuáles son más importantes, las Posiciones Clave o las Transiciones entre ellas? Esto depende en gran medida del estilo de la obra, pero en general, algún tipo de equilibrio entre ambas parecería proveer el resultado óptimo. Como mencionamos en la Introducción, muchos coreógrafos focalizan su atención enteramente en las Transiciones, y es posible permitir que las Transiciones creen y definan a las Posiciones Clave. Volviendo a Euclides, podemos dibujar dos Puntos y conectarlos para formar una Línea – de modo alternativo podemos simplemente dibujar una Línea, ¡y esto crea dos Puntos, uno en cada extremo! No obstante, la coreografía determinada por Transiciones tiende a ser más simple y más lineal (lo cual no necesariamente es algo malo). En contraste, la coreografía generada a partir de Posiciones Clave usualmente es más compleja y sofisticada. Una técnica intermedia implica la generación de Posiciones Clave sucesivas mediante la modificación de la anterior. Una vez más, esto produce movimientos más lineales, trillados y simples en comparación con la yuxtaposición de Posiciones Clave dispares y la resolución de los problemas acerca de cómo llegar de una a la otra, lo cual a menudo puede generar nuevas y sorprendentes secuencias de movimiento. Como vimos en el poema de Blake, la combinación de palabras en formas nuevas, inusuales y sorprendentes puede ser uno de los sellos distintivos de la gran poesía.

4 elementos tres - patrones

Una vez que Euclides ha desarrollado sus puntos en líneas, puede luego desarrollar las líneas en varias formas geométricas tales como triángulos, cuadrados, etc., y luego incluso en objetos sólidos tridimensionales como pirámides y cubos. Nuestro modo equivalente de ensamblar Posiciones Clave y Transiciones en estructuras más sustanciales es el uso de Patrones. Algunas formas prácticas de crear Patrones serán mencionadas aquí, comenzando con algunas de las más simples, pero se volverá cada vez más claro que las posibilidades de las combinaciones son infinitas, conduciendo finalmente a Patrones de Frase, los cuales constituyen los pilares de la Coreografía Poética.

oscilación Aquí una Posición Clave se va alternando con otra, en una especie de ida y vuelta – esta es una de las herramientas de patrón más poderosas porque usualmente es instantáneamente reconocible para las espectadoras e inmediatamente establece las dos Posiciones Clave y Transiciones en sus mentes.

oscilación de vaivén Este es el tipo de Oscilación más simple, donde las dos Posiciones Clave y Transiciones tienen igual duración e importancia, como una cuna meciéndose o el tictac del péndulo de un reloj. Esta similitud con el péndulo resalta la naturaleza cronométrica de la Oscilación de Vaivén, y puede ser usada para medir el tiempo y establecer la Métrica, tal como veremos en el capítulo sobre Ritmo.

oscilación sostenida Este es un tipo de Oscilación de Vaivén en la que las Posiciones Clave no solo actúan como puntos finales para las Transiciones sino que son sostenidas por duraciones de tiempo, por ejemplo, consideremos los movimientos de las cabezas en un público que ve un partido de tenis. Este es un modo muy potente de enfatizar la importancia de las Posiciones Clave.

oscilación asimétrica A diferencia de la Oscilación de Vaivén, las dos transiciones tienen longitudes de tiempo diferentes, lo cual generalmente resulta en diferencias de velocidad y un consecuente énfasis o acento en una de las Posiciones Clave (es decir, en la Oscilación de Vaivén, las dos Posiciones Clave normalmente son iguales en importancia). Si incrementamos el desequilibrio entre las dos, el efecto se vuelve progresivamente más dramático y potente hasta que, finalmente, llegamos a la situación de la Oscilación de Puñetazo.

oscilación de puñetazo Como se mencionó antes, este es un tipo de Oscilación Asimétrica en el que un par de Transiciones y Posiciones Clave es tan dominante que el otro par se vuelve casi insignificante, y nos acercamos a la idea de una repetición de nota en música. Esto frecuentemente es enfatizado por la Posición Clave principal siendo espacialmente muy definida y la Posición Clave subordinada siendo más imprecisa; y por la Transición subordinada pareciendo ser una preparación para la Transición principal o incluso una especie de relajación antes de esta. Algunos ejemplos comunes de la Oscilación de Puñetazo son una palmada o un golpe del pie sobre el suelo, los cuales en realidad son movimientos dobles, aunque nos enfocamos solo en uno del par. En estos dos casos, el desequilibrio es enfatizado aún más mediante la producción de sonido; no obstante, la mayoría de las oscilaciones de puñetazo, incluyendo los golpes cortos, repetitivos, punzantes que les dan nombre, son silenciosas.

patrón cíclico Los Patrones Cíclicos son secuencias de transiciones que terminan en su punto de inicio, y luego se puede repetir el patrón tantas veces como sea necesario. Los Patrones Cíclicos largos, no obstante, no necesitan repetirse, y el retorno al punto de partida inicial puede dar una sensación de cierre, compleción y final. En los Patrones Cíclicos que se repiten es bastante común que la última transición sea una Transición de Reseteo en la que múltiples partes del cuerpo son devueltas al punto de partida, y esto puede ayudar a establecer el punto inicial del círculo – aun así, es posible que la última transición del círculo sea una transición normal.

compresión cíclica Aquí tenemos un Patrón Cíclico con, supongamos, cinco transiciones que se repite en *loop*. Entonces se omite una de las Transiciones y luego otra, a veces quizás hasta que quede solo una. Esta compresión del ciclo es muy útil para incrementar la tensión o emoción.

patrón de secuencia Un Patrón de Secuencia es un Patrón Cíclico que, en lugar de volver al punto de partida inicial, retorna a un punto alejado a cierta distancia. El ciclo siguiente retorna a un punto dos veces más alejado.

La secuencia puede así ser vista como una serie de pasos, lo cual es muy útil para construir tensión y, dado que tiene un sentido de dirección, puede impulsar el avance de la coreografía. Un patrón de secuencia es un tipo de variación y por lo tanto, como todas las variaciones, combina los elementos unificadores de la repetición y los elementos variables del cambio que evitan el aburrimiento de la repetición pura.

patrón de motivo Estos son grupos de dos o más Transiciones/Posiciones Clave cuyas yuxtaposiciones por repetición, etc., se vuelven una característica significativa de la coreografía. Pueden ser considerados un poco como las frases poéticas recurrentes (por ejemplo, *'and what'* y *'what the'* en *The Tyger*), o incluso como los motivos en música (por ejemplo, el Ta Ta Ta Taaan, del primer movimiento de la *Quinta Sinfonía* de Beethoven). La primera cuestión a considerar por la coreógrafa es cómo comunicar a quien observa cuáles son los elementos que pertenecen al grupo (por ejemplo, ¿cómo sabemos que la transición que sigue al motivo no es parte de ese grupo?). La técnica principal para establecer esto es, como ya hemos dicho, el uso de la repetición, por medio de la cual el mismo Patrón de Motivo es repetido en varios puntos de la sección. Una segunda técnica consiste en preceder y continuar al Patrón de Motivo con Posiciones Clave Pausadas, lo cual hemos visto que puede funcionar como una especie de puntuación o corte de verso. La técnica más efectiva, sin embargo, consiste en dar coherencia interna y estructura al Patrón de Motivo, lo que puede lograrse a través de – dar a las Transiciones que forman parte del mismo una trayectoria específica, ya sea en una línea o posiblemente en un arco – componer Transiciones relacionadas entre sí, incluyendo repeticiones dentro del motivo – hacer uso de dinámicas y acentos.

patrón de frase Los Patrones de Frase son secuencias más largas de Posiciones Clave y Transiciones que, a través de la repetición y variación, se vuelven una parte significativa de la composición y pueden ser pensados como el equivalente de las melodías en música, o de versos o estrofas significativas en poesía.

Aquí nos estamos aproximando al corazón creativo de la coreografía. Hay un límite en relación al número de Posiciones Clave posibles, debido a las limitaciones del cuerpo, por lo que cualquier coreografía estará indudablemente usando algunas que ya han ocurrido muchas veces antes. Intentar inventar Posiciones Clave completamente nuevas podría compararse con crear nuevas palabras o nuevos tonos musicales. Las Transiciones son un poco como combinaciones de dos palabras o intervalos en música, y hay muchas más de estas que Posiciones Clave (especialmente si incluimos dinámicas y velocidades alternativas). Con las Transiciones, estamos entrando en un área más creativa, pero aun así, es raro ver una Transición que no se haya visto en otra obra. Es, sin embargo, cuando llegamos a los Patrones de Frase que el número de combinaciones se vuelve infinito. Seleccionando y combinando a partir de este universo de posibilidades, la coreógrafa puede establecer su individualidad y personalidad.

Del mismo modo que sucede con los Patrones de Motivo, es fácil establecer Patrones de Frase mediante la repetición a lo largo de la obra. Aquí también el uso de pausas antes y después del Patrón de Frase puede ser útil para encuadrarlos, pero esto no es esencial. El uso de cualquier Patrón de Frase con toda probabilidad realzará la claridad coreográfica y nos alejará de los interminables movimientos aparentemente aleatorios que a veces vemos – no obstante, debemos considerar aquí la calidad de los Patrones de Frase.

Al igual que las melodías musicales o los versos poéticos significativos, los Patrones de Frase pueden variar desde banales y comunes, a un tanto interesantes, a conmovedoramente hermosos. Lo que hace la diferencia entre ellos (así como en melodías musicales o versos poéticos) es algo que sigue siendo esquivo y que muy posiblemente no pueda ser aprendido. Aun así, podemos quizás encontrar algunas sugerencias que ayuden a obtener mejores resultados. Aunque, como hemos dicho, todo Patrón de Frase está compuesto de los mismos elementos básicos que todos los otros, la coreógrafa puede pensar en lo siguiente: incluir una amplia variedad de posiciones, duraciones y dinámicas - ocuparse de que haya un equilibrio entre los elementos - pensar en la forma. Por otro lado, una cosa que debería ser evitada (aunque siempre se debe tener cuidado de decir nunca) es el sobreuso de la simetría, lo que puede conducir a rigidez y a demasiada regularidad. Una característica común en muchos Patrones hermosos (como en melodías y versos poéticos) tiene que ver con el establecimiento de ciertas expectativas que luego se desvían o contradicen para producir sorpresa. Por encima de todo, lo que es más esencial, es el refinamiento paciente del patrón de un modo meticuloso y riguroso.

patrón prestado Hay muchos formatos de patrón útiles, provenientes de los mundos de la poesía, la música, la vida cotidiana, el deporte, etc., que pueden ser incorporados a la coreografía. Aquí, enumeraremos algunos de los más valiosos y emocionantes.

patrón aliterado Aquí tenemos varios grupos de Posiciones Clave y Transiciones, pero cada grupo comienza ya sea con la misma Posición Clave o con la misma Transición. Para que esto pueda ser percibido por el público, el elemento Aliterativo debe ser de algún modo distintivo y puede

ser sugestivo, es decir, llevar una mano a la oreja, levantar un dedo. Además de ser placentero de ver (así como la aliteración en poesía es placentera de oír), la Aliteración también puede servir estructuralmente para clarificar grupos de movimientos.

patrón de rima El Patrón de Rima es similar al Patrón Aliterado, excepto que los grupos terminan con la misma Transición o Posición Clave. Aunque el principio es en líneas generales similar, las dos técnicas tienen resultados ligeramente diferentes en tanto que el Patrón Aliterado se siente más como hacer una lista y es de algún modo más estático, mientras que el Patrón de Rima genera una sensación más dinámica y progresiva.

patrón de preparación/ejecución Hay muchas actividades que adoptan esta forma de dos partes, es decir, la preparación y puesta en marcha de una situación y luego la ejecución resultante de esa preparación. Frecuentemente (especialmente en deportes), hay una marcada diferencia de dinámica entre estas dos secciones, con la primera siendo cuidadosa y metódica y la segunda siendo quizás más rápida y dinámica. Este Patrón produce una acumulación de tensión y luego una liberación (pensemos quizás en una arquera apuntando y tirando de la cuerda hacia atrás antes de lanzar una flecha).

patrón asimétrico Como vemos continuamente, es natural que las personas graviten hacia la simetría, especialmente en lo que concierne a múltiplos de dos (como al caminar), y lo mismo sucede con los patrones. La coreógrafa debería cuidar, sin embargo, el permitir demasiada simetría, especialmente con grupos de cuatro, ocho elementos, etc., en sus patrones dado que esto puede volverse predecible y trillado. En cambio, el uso de Patrones Asimétricos, en los que la simetría es alterada por medio de la adición o sustracción de Transiciones, puede ser sorprendente y refrescante.

patrón extendido Esta es una forma atractiva de Patrón Asimétrico, en la que un Patrón Simétrico parece alcanzar su conclusión solo para ser extendido aún más. Consideremos este extracto del poema de Rossetti *Sudden Light* (Luz Repentina).

I have been here before,
But when or how I cannot tell:
I know the grass beyond the door,
The sweet keen smell,
The sighing sound, the lights around the shore.

He estado aquí antes,
Pero cuándo o cómo no puedo decirlo:
Conozco la hierba más allá de la puerta,
El dulce y penetrante olor,
El sonido de un suspiro, las luces en torno a la orilla.

La estrofa podría haber terminado simétricamente después del cuarto verso, pero el quinto verso adicional atrae a la audiencia de un modo intrigante.

patrón de ostinato Este es un tipo de Patrón Cíclico que se repite una y otra vez, a veces a lo largo de toda la obra o sección. La constancia e insistencia en las repeticiones puede ser una característica del Patrón de Ostinato en la construcción de tensiones, y esto también puede tener connotaciones dramáticas o emocionales, como por ejemplo terquedad o inflexibilidad.

Los Patrones de Ostinato guardan relación con las Oscilaciones (las cuales pueden ser vistas como Patrones de Ostinato con solo dos componentes) y, tal como las Oscilaciones, pueden ser superpuestos con otros movimientos y patrones y de ese modo tener un poderoso efecto unificador.

patrón reconocible Estos son patrones que se relacionan con situaciones cotidianas familiares que el público puede reconocer, por ejemplo, un patrón de duda, un patrón de contar con los dedos, etc. Estos patrones a menudo se asocian con el Movimiento Pedestre, y abordaremos este asunto con más detalle en ese capítulo.

patrón morse Una técnica fascinante implica la vinculación de movimientos lentos o largos con movimientos más rápidos o más cortos. Esto ayuda a evitar el problema frecuentemente visto de movimientos interminables, todos ellos con importancia similar. Un recurso útil aquí son los patrones de letras en código Morse, por ejemplo con la letra U siendo punto punto raya. Aquí solo nos interesan los patrones como modelos, y los movimientos no son usados a la misma velocidad que en el código Morse ni tampoco se utilizan para formar palabras. En lugar de eso, un patrón de una única letra se repite una y otra vez. Tenemos dos alternativas: usar los patrones para controlar la velocidad del movimiento, o bien para controlar la longitud del movimiento. En el caso de la letra U, con respecto a la velocidad, obtendríamos dos movimientos rápidos y luego uno más lento, lo cual luego sería repetido. En el caso de la misma letra en relación a la longitud, obtendríamos dos movimientos cortos seguidos de uno más largo – en este caso, los movimientos cortos necesitarán ser Transiciones Separadas (de otro modo, serían simplemente movimientos rápidos). Cualquiera de las letras en código Morse que combine largo y corto puede producir resultados interesantes, pero destacaríamos a las siguientes: A, B, N, U, V y Z.

patrón rítmico La mayoría de los patrones consiste de Transiciones conectadas a sus duraciones específicas, por ejemplo, un movimiento de la mano que dura un tiempo, un movimiento del hombro que dura un tiempo y un movimiento del brazo que dura dos tiempos. Si extraemos las duraciones de los movimientos, tenemos un Patrón Rítmico de 1 + 1 + 2. Ahora podríamos reemplazar las Transiciones originales por nuevas Transiciones pero manteniendo las mismas duraciones, resultando en un Patrón Rítmico.

Deberíamos señalar que este desacoplamiento de las partes del cuerpo moviéndose con el ritmo tiende a hacer que el patrón sea menos reconocible para el público. Por ejemplo, tomemos el Patrón de Motivo de la bailarina golpeando su frente con su mano izquierda durante un tiempo, golpeando su frente con su mano derecha durante un tiempo y luego haciendo un movimiento de natación con ambos brazos durante dos tiempos. Si la bailarina repite este Patrón de Motivo varios minutos más tarde, el público lo recordará fácilmente y lo relacionará con su aparición previa. Sin embargo, si varios minutos después de la primera aparición, la bailarina meramente mantiene el patrón rítmico del motivo, pero moviendo otras partes del cuerpo, el público difícilmente reconocerá la relación con la versión anterior. Aun así, si las dos apariciones son mucho más cercanas en el tiempo, o, como suele ser el caso, una seguida de la otra, entonces es mucho más probable que el público sea capaz de establecer la conexión. Este factor esencial es conocido como Proximidad Temporal, y a continuación lo discutiremos en más detalle.

proximidad temporal Esto se refiere a la distancia en el tiempo entre dos eventos conectados que aún permite al público relacionarlos entre sí. Las relaciones menos claras necesitan estar más próximas entre sí, mientras que las más explícitas pueden ser *'leídas'* aun cuando se encuentren más alejadas en el tiempo. Los elementos que pueden incrementar la Proximidad Temporal son los Marcadores Espaciales claros, los ritmos distintivos, las Transiciones Reconocibles, etc., mientras que el uso de elementos aislados (como ya discutimos en Patrones Rítmicos) la reducirá.

Otro modo de extender la Proximidad Temporal es estableciendo el elemento en la conciencia del público (usualmente a través de la repetición). Después de eso, el elemento en cuestión puede ser retomado mucho más tarde y mantener su conexión con el original.

patrón no rítmico Esta es la versión negativa del Patrón Rítmico, por ejemplo, supongamos que tenemos un patrón de cinco Transiciones, y luego repetimos ese patrón pero con duraciones completamente diferentes para cada una de las Transiciones. La combinación de movimientos y duraciones definidas es poderosa para la retención del patrón, y si rompemos este vínculo (como en el Patrón Rítmico), entonces una vez más el patrón resulta más difícil de establecer – no obstante es posible. Cabe señalar que los Patrones No Rítmicos no deben confundirse con la Danza Arrítmica, la cual analizaremos en el capítulo sobre Ritmo.

patrón entrelazado Esta es una idea interesante por medio de la cual el patrón se realiza alternando Transiciones en diferentes partes del cuerpo. Esto puede ser considerado como dos patrones que se combinan para formar uno, como una especie de diálogo. La técnica también puede ser usada con dos o más bailarinas moviéndose alternadamente para producir un todo unificado.

Hemos incluido algunos Patrones más avanzados en el Apéndice al final de la primera sección del libro.

desarrollo de patrón Los Patrones de Movimiento, una vez que están establecidos, pueden ser manipulados de varias maneras. Esto es especialmente común con los Patrones de Motivo (dado que suelen ser relativamente cortos y pueden ser considerados como elementos básicos), pero estas manipulaciones también pueden ser aplicadas a otros Patrones. Las formas más comunes de manipulación son:

Inversión:
el patrón es puesto al revés

Retrogradación:
el orden de las Posiciones Clave y de las Transiciones es invertido

Compresión Espacial:
las Transiciones son reducidas en términos de distancia

Expansión Espacial:
las Transiciones son ampliadas en términos de distancia

Compresión Temporal:
el tiempo que toma cada Transición es reducido

Expansión Temporal:
el tiempo que toma cada Transición es incrementado

Cabe señalar que las manipulaciones aquí mencionadas pueden combinarse para producir muchas más opciones, por ejemplo, Inversión más Retrogradación. Inicialmente, podría parecer que estas manipulaciones son un poco mecánicas y básicas; sin embargo, a menudo arrojan resultados sorprendentes (por ejemplo, la variación n°18 de la *Rapsodia sobre un Tema de Paganini* de Rachmaninoff – una melodía muy hermosa – es una inversión y expansión temporal del tema original de Paganini), y tienen el beneficio adicional de unificar a una sección a través de que las partes estén relacionadas, mientras se conserva la frescura de la obra al evitar la repetición directa.

transferencia de patrón Este es un tipo especial de Desarrollo de Patrón en el que un patrón que inicialmente fue aplicado a una parte del cuerpo se repite más tarde en otra parte, por ejemplo, un patrón original usando los pies puede ocurrir luego en las manos. Esta técnica es similar a aquella en la que una compositora repite una melodía que originalmente fue tocada por el violín pero esta vez tocada por, supongamos, la flauta. El tema sigue siendo reconocible, pero el cambio de instrumento modifica el carácter de la melodía. La Transferencia de Patrón puede ser casi idéntica al original pero, dependiendo de los movimientos y de las partes del cuerpo involucradas, puede que necesite ciertos ajustes. Estos ajustes también pueden contribuir a la revitalización del patrón original.

amplificación de patrón Al igual que la Transferencia de Patrón, este también es un tipo de Desarrollo de Patrón. Aquí un Patrón que ha sido ejecutado por una parte del cuerpo es repetido, pero con la sumatoria de otra parte copiando ahora el patrón, por ejemplo, un patrón con un brazo es repetido con ambos brazos, o un patrón con un movimiento de pierna es repetido con movimientos de brazo y pierna. La Amplificación de Patrón también puede darse a través de bailarinas adicionales copiando los movimientos, tal como veremos en el capítulo Unísono. Esta técnica es útil para proporcionar clímax e incrementar la emoción y también puede tener implicancias dramáticas o narrativas.

5 marcadores espaciales

A fin de que una Posición Clave y por consiguiente una Transición sean reconocibles para el público, es importante saber en qué lugar del espacio se encuentran exactamente las distintas partes del cuerpo. Si este aspecto no está claro, entonces casi todas las ideas que hemos estado discutiendo (unidad, repetición, variación, etc.) se desmoronan, y nos quedamos con el tipo de coreografía difusa de la que tanto abunda.

Imaginemos que le mostramos a alguien una hoja de papel en blanco con un punto en ella y entonces, más tarde, le mostramos otra hoja de papel con un punto y le preguntamos si el nuevo punto se encuentra precisamente en el mismo lugar en el que estaba el primero. Será muy difícil saberlo. Ahora, imaginemos que las hojas de papel en blanco tienen cuadrículas (como una hoja de papel cuadriculado) – será sencillo saber si los dos puntos estaban en el mismo lugar. De modo similar, cuando posicionamos la mano de una bailarina en el espacio y necesitamos que el público sea capaz de saber si más tarde esta se encuentra en el mismo lugar, necesitaremos algún equivalente a una cuadrícula para ayudar al público a decidir. El equivalente de la cuadrícula en danza es un Marcador Espacial, y hay algunos muy útiles a disposición de la coreógrafa.

el cuerpo de la bailarina El principal Marcador Espacial es el propio cuerpo de la bailarina, y esto puede funcionar de tres maneras. La primera de estas consiste en ubicar una parte del cuerpo en contacto con otra, por ejemplo, poner el pie izquierdo sobre la rodilla derecha o poner la mano izquierda sobre la frente. En estos casos el público tiene una idea clara e inmediata de la posición del pie izquierdo o de la mano izquierda, y si la coreógrafa más tarde vuelve a ubicar esa parte del cuerpo en esa posición, esto será fácilmente recordado. Como explicamos en referencia a las Posiciones Clave Espaciales, esta posición es más una posición relativa que una absoluta, es decir, si la bailarina se mueve hacia el otro lado del escenario y entonces ubica el pie izquierdo sobre la rodilla derecha, en términos reales, el pie no está en el mismo lugar en el que estaría si ella hubiera permanecido en la misma ubicación. No obstante, el público está habituado a interpretar posiciones relativas; después de todo, en la vida real, estamos dando vueltas precipitadamente en torno a la Tierra y el Sol, entonces de algún modo, ¡toda posición es en cierto sentido relativa!

También, para que la cuadrícula ayude a definir la posición de un punto, el punto no necesita estar sobre una de las líneas; podría estar a mitad de camino entre las líneas verticales y a dos tercios entre las horizontales. De modo similar, la posición de la parte del cuerpo puede estar, por ejemplo, a medio camino entre la rodilla y el tobillo, etc., y aun así ser clara y memorable.

El segundo método consiste en ubicar una parte del cuerpo al mismo nivel que otra parte, por ejemplo, poner la mano derecha hacia adelante pero, supongamos, al mismo nivel que la nariz. Esto funciona como el primer método pero es menos preciso en dos sentidos. Uno de ellos tiene que ver con que cuanto más alejado se encuentre un objeto de su Marcador Espacial, menos preciso resultará este. Para una persona que esté ubicada en el mismo nivel, nuestro ejemplo será claro, pero para alguien que lo vea desde más abajo la mano podría estar alineada con la frente, y para alguien que lo vea desde más arriba (supongamos, desde un palco), podría estar alineada con el mentón. En segundo lugar, este Marcador Espacial está funcionando en una dimensión (la vertical), lo que en algunos casos puede extenderse a una segunda (la horizontal) pero no define absolutamente la posición en tres dimensiones (lo que sí hace la primera técnica). Hasta cierto punto, estas cuestiones son clarificadas y complementadas por las siguientes.

El tercer método consiste en definir la posición espacial por el modo en que el cuerpo de la bailarina está contorsionado. Un ejemplo elemental de esto es la bailarina con las manos levantadas en forma vertical tan alto como sea posible. Aunque las manos no estén al mismo nivel con otra parte del cuerpo de la bailarina, el público puede interpretar su posición por la forma en que está dispuesto el cuerpo. En nuestro ejemplo previo de la mano extendida al nivel de la nariz, el público puede interpretar la tercera dimensión por cómo está doblado el codo (por ejemplo, a 90 grados). Esto también ayuda a los miembros del público que están ubicados en diferentes niveles a interpretar la posición correctamente.

Un problema aquí es que si contamos con múltiples bailarinas, es muy probable que todas ellas tengan alturas diferentes. Si queremos que sus manos estén todas alineadas a la misma altura, entonces especificar una parte del cuerpo con la cual entrar en relación resultará en diferentes alturas desde el suelo para cada bailarina. Si esta uniformidad entre las bailarinas es requerida, una solución posible es especificar la posición para una bailarina

arte del movimiento

(a veces nombrada como la Bailarina Clave), y luego hacer que las otras bailarinas coincidan con ella, y que encuentren la relación de partes del cuerpo que corresponda para cada una. Otra posibilidad es alinear a las bailarinas por altura, digamos por ejemplo, de menor a mayor altura. Si luego ellas colocan sus manos a la altura de su propia cintura, las manos no estarán todas a la misma distancia del suelo, pero aun así estarán diagonalmente alineadas, lo cual puede constituir en sí mismo una parte interesante de la coreografía.

El uso del cuerpo y especialmente el tocar partes del cuerpo es una herramienta útil, pero también debe recordarse que muchas de estas acciones tienen una connotación, ya sea emocional o narrativa (por ejemplo, ubicar la mano sobre la boca significa algo), o incluso implicancias geométricas (ubicar la mano en la cintura crea una forma triangular en el brazo), que deberían ser tomadas en cuenta. Un tipo de extensión del uso del Cuerpo de la Bailarina para la ubicación de Posiciones Clave y Transiciones involucra la idea del Trazado. Aquí comúnmente la mano, pero posiblemente el pie u otra parte del cuerpo, traza el contorno del cuerpo ya sea en contacto directo o en proximidad muy cercana (Roce). El Trazado puede, además de definir una Transición, tener otros significados, tales como su relación con la caricia.

el cuerpo de otra bailarina La bailarina también puede usar al cuerpo de otra bailarina como referencia espacial, y la mayoría de lo expuesto anteriormente aplica en este caso. No obstante, se debería recordar que el efecto de proximidad y la posibilidad de una distancia más grande entre la parte del cuerpo y su marcador espacial pueden debilitar la fuerza y precisión del posicionamiento.

el suelo Después del cuerpo de la bailarina, el suelo es el siguiente marcador espacial más importante – en efecto, es la base de referencia para juzgar la posición vertical. Como sucede con el cuerpo de la bailarina, la proximidad es el factor principal – cualquier cosa como pies, manos, cuerpo, cabeza, etc., en contacto directo con el suelo automáticamente se alinea de forma vertical. Las partes del cuerpo ubicadas en cercanía con el suelo pero sin tocarlo realmente, también proporcionan indicios útiles sobre la posición.

Un efecto particular, el Roce, donde una parte del cuerpo (usualmente el pie o la mano) se mueve sobre el suelo manteniendo la misma distancia relativa con respecto al mismo, es una técnica muy útil. Una vez más, el contacto o la cercanía con el suelo pueden tener múltiples implicancias dramáticas o narrativas.

la pared La pared puede ser vista como el equivalente del suelo en la dimensión horizontal, y todos los comentarios realizados en el párrafo previo aplican, incluyendo al Roce y las funciones dramáticas o narrativas. La pared también puede resultar muy útil en términos de soporte para la bailarina, permitiendo movimientos que serían imposibles de ejecutar en un espacio abierto, sin el sostén de otra bailarina. Cuando la pared y el suelo son utilizados en forma conjunta, esto brinda marcadores espaciales muy claros en dos dimensiones.

la esquina La esquina, en cierto modo, es un marcador espacial superador que combina dos paredes con el suelo para proporcionar información tridimensional (atrás y adelante, arriba y abajo e izquierda y derecha). La esquina no suele ser una posibilidad en el escenario pero muy a menudo es utilizada en obras de danza de sitio específico y en films de danza.

la caja Como acabamos de decir, introducir esquinas en el escenario es complicado, pero un modo de hacerlo es ¡poner a la bailarina dentro de una caja! Esto, especialmente si las dimensiones de la caja son tales que la bailarina pueda tocar los lados y el techo, realmente proporciona aún más información sobre la posición exacta del cuerpo de la bailarina y sus varias partes. La caja también puede ofrecer funciones valiosas como soporte para la bailarina y tiene gran relevancia en términos de posibilidades narrativas y dramáticas.

la mesa Un plano vertical secundario que provee marcadores espaciales es la mesa. Tal como sucede con el suelo, la mesa automáticamente alinea cualquier cosa que esté en contacto con ella. Por su altura, estas suelen ser frecuentemente las manos, los brazos y la cabeza (¡la mesa y las manos pueden ser vistas como un equivalente del suelo y los pies!).

Por su presencia física, la mesa puede instantáneamente aportar claridad a la ubicación espacial de los objetos, y esto brinda la emocionante posibilidad de que una situación caótica, por ejemplo las manos moviéndose salvajemente, se ponga inmediatamente en orden. Esto puede verse hermosamente en *La Mesa Verde*, de Kurt Jooss. Una vez más, la mesa puede tener implicancias dramáticas o narrativas (tal como en la obra de Jooss que acabamos de mencionar).

la silla Como la mesa, la silla puede proporcionar muchos puntos de referencia espacial para la localización del cuerpo de la bailarina. También puede proveer soporte para posibilitar movimientos, por ejemplo la elevación de las piernas, que de otro modo serían imposibles. La libertad de la bailarina para utilizar sus piernas sin necesitar de su soporte compensa con creces la posibilidad de movimiento por el espacio que la bailarina pierde al estar sentada.

cualquier objeto Prácticamente cualquier objeto, ya sea preexistente (por ejemplo escaleras) o construido (escenografía), puede ser usado para proporcionar Marcadores Espaciales para la bailarina – la silla y la mesa han sido utilizados con mayor frecuencia debido, en parte, a que normalmente se encuentran disponibles en la mayoría de los espacios escénicos.

iluminación Generalmente, la iluminación escénica es demasiado poco definida para proveer marcadores espaciales útiles; sin embargo, hay ocasiones en las que una iluminación muy focalizada puede dar una mayor sensación de orientación espacial. También tenemos la oportunidad de que las bailarinas utilicen movimientos dentro y fuera de la luz como marcadores.

espacio definido Este es un concepto ligeramente diferente, donde el espacio entre dos objetos (típicamente partes del cuerpo de la bailarina), es tratado como un objeto que puede ser sostenido e incluso movido. El concepto del roce, que ya hemos mencionado, puede ser considerado como un tipo especial de Espacio Definido.

Frecuentemente un espacio definido es creado a partir del contacto con una parte del cuerpo (por ejemplo, colocando las manos a los lados de la cabeza), y luego removiendo esa parte del cuerpo sin mover las partes que definen el espacio, creando de este modo un vacío. Esto puede tener consecuencias emocionales o dramáticas significando pérdida, como cuando una bailarina abraza a otra que luego se aparta de ese encuentro, pero de modo tal de dejar la posición del abrazo intacta.

marcadores espaciales en film Como hemos dicho, cualquier objeto visual puede ser usado como un Marcador Espacial; no obstante, el efecto en el teatro se torna menos efectivo cuanto mayor es la distancia entre el objeto y el marcador, a causa de la diferencia entre las espectadoras sentadas en diferentes posiciones con distintos puntos de vista.

Sin embargo, en un film todo el público tiene el mismo punto de vista – el punto de vista de la cámara (y por lo tanto de la directora). Esto significa que pueden utilizarse Marcadores Espaciales que estén alejados de la bailarina – por ejemplo, la bailarina podría alinear sus brazos con el horizonte o colocar una mano enfrente del rostro de una bailarina que se encuentre a diez metros de distancia de ella. Además, el límite que propone el encuadre de la cámara puede ser un marcador útil en sí mismo.

6 ritmo/acento

La cuarta dimensión de la danza (como en la vida) es el tiempo. El modo en que las Posiciones Clave y Transiciones se desarrollan a lo largo de la línea de tiempo de la obra es una parte significativa de su potencial expresivo y dramático.

métrica Desde el comienzo hasta el final de una obra de danza, hay un número infinito de puntos de tiempo – retomando la analogía utilizada en el capítulo Marcadores Espaciales, posicionar simplemente un punto en cualquier lugar de una hoja en blanco no lo define bien. Vimos allí que colocar una cuadrícula en el papel simplificaba enormemente la definición de la posición del punto, y podemos hacer lo mismo con respecto al tiempo. Sin embargo, a diferencia del espacio tridimensional, el tiempo solo es unidimensional, entonces nuestra cuadrícula se vuelve un poco más parecida a las marcas de una regla uniformemente distribuidas.

El equivalente de las marcas es el pulso, que es una división del tiempo en partes iguales, usualmente oscilando entre una cuadragésima parte de un minuto para danzas muy lentas a dos centésimas para las extremadamente rápidas. El promedio suele estar entre una sexagésima parte, es decir un segundo por unidad, y una ciento cincuentava parte. Estas divisiones, comúnmente llamadas tiempos, pueden ser marcadas simplemente a través de un conteo regular, pero en lugar de contar hasta miles, normalmente son contadas en grupos (por ejemplo, **1** 2 3 4, **1** 2 3 4, **1** 2 3 4, o de modo alternativo mediante el uso de un sistema de conteo que lleve el registro de los grupos **1** 2 3 4, **2** 2 3 4, **3** 2 3 4, **4** 2 3 4, **5** 2 3 4). Estos grupos pueden reflejar los acentos subyacentes de la obra y usualmente son llamados compases.

acento El Acento es donde una nota musical, palabra o movimiento es enfatizado. Este es uno de los aspectos más cruciales de la música, la poesía y la danza. Permite que la métrica sea dividida en fragmentos reconocibles (un poco como las líneas más fuertes en la cuadrícula o las marcas más largas en una regla cada cinco o diez marcas). Esto simplifica en gran medida la ubicación de eventos en el tiempo. Imaginemos que queremos que una bailarina haga algo en el tiempo 87 – si la bailarina simplemente cuenta hasta 87, es muy fácil que pierda la cuenta; sin embargo, si hay un acento cada cuatro tiempos, entonces podemos indicar el tiempo tres del compás 21 y los acentos ayudarán a la bailarina a contar. No obstante, mucho más importante es el hecho de que la poesía, la música o la danza con acentos son impulsadas por estos, y sin ellos, no tendrían características distintivas. Ya hemos mencionado esto en el primer capítulo, pero es tan importante que lo repetiremos – *la falla de cualquier coreógrafo en comprender la importancia de los acentos de movimiento, cómo crearlos y sus posibilidades, inevitablemente resultará en creaciones de danza que lucirán insulsas y carentes de vida.*

Es sencillo crear acentos en verso y música simplemente haciendo que cualquier palabra o nota suene más fuerte (en la música también se puede usar un acorde o una nota de bajo para acentuar un tiempo), pero en la danza, donde la mayoría de los movimientos no suenan, el acento simple por volumen no suele ser una opción disponible. Hay, sin embargo, muchas alternativas para producir movimientos acentuados y, dado que esta es una parte tan esencial de la coreografía, examinaremos cada una de estas alternativas individualmente.

acento por volumen Algunos movimientos de danza, como por ejemplo una palmada, un golpe de pie, etc., producen de hecho sonidos. En estos casos, como en el verso y la música, el acento puede ser fácilmente proporcionado simplemente haciendo que los tiempos acentuados suenen más fuerte – esto es muy importante en, por ejemplo, el Flamenco o el Tap. También pueden utilizarse otros sonidos menos obvios relacionados con movimientos, tales como el habla o la respiración.

acento por tamaño En una serie de Transiciones, aquellas que abarquen una mayor distancia tenderán a tener el acento comparadas con los movimientos más pequeños.

acento por velocidad En general, en una serie de movimientos, un movimiento más rápido será percibido como más acentuado. Por ejemplo, una secuencia repetida de tres movimientos lentos de brazo y un movimiento más rápido. Este acento es causado en parte por el hecho de que, supongamos, si los cuatro movimientos tienen todos la misma duración, entonces el movimiento más rápido será de mayor tamaño. Se puede ver que muchas técnicas para la producción de acentos están sutilmente relacionadas entre sí. No obstante, incluso si los movimientos son del mismo tamaño, la transición más rápida será la más acentuada.

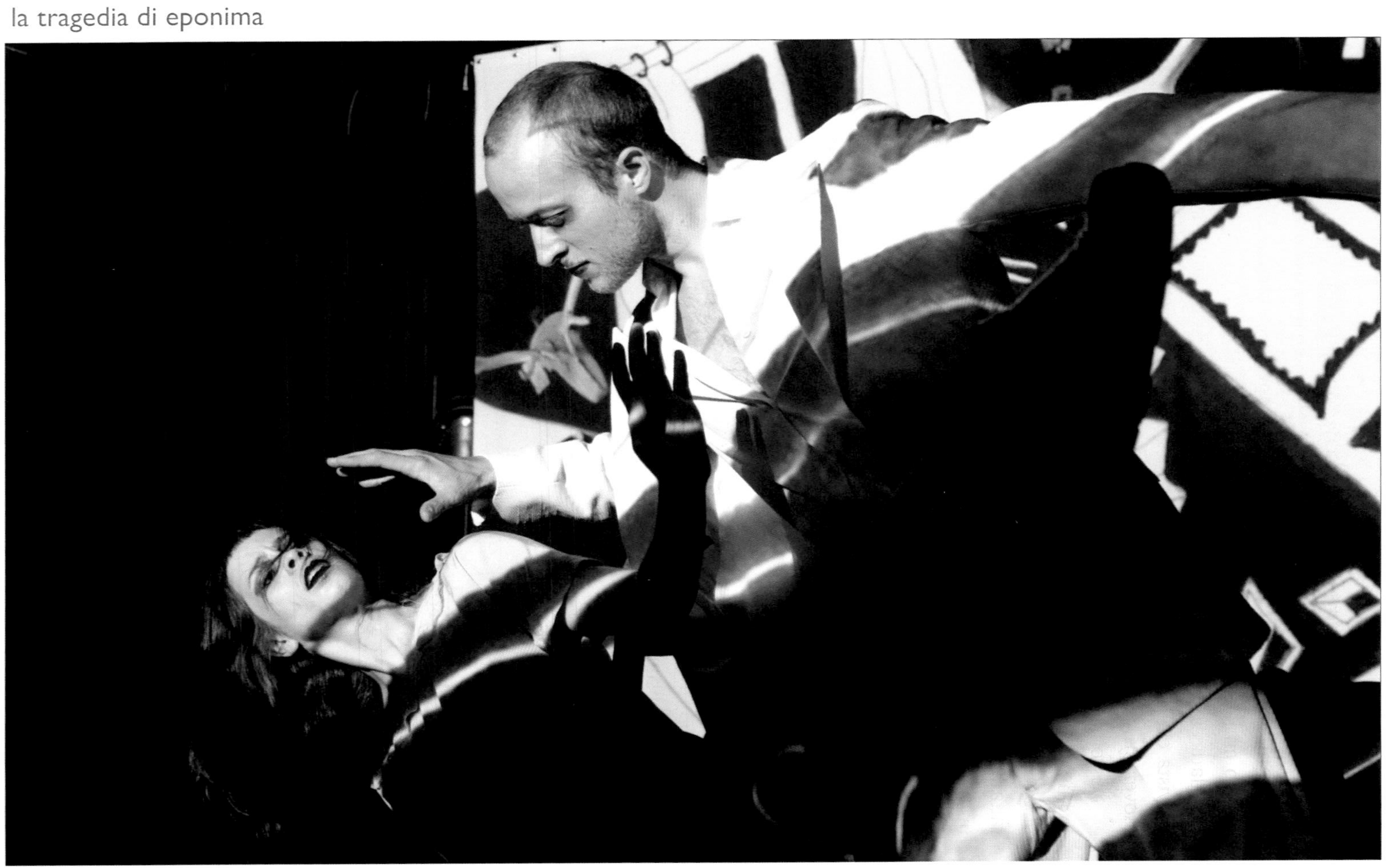

acento por movimiento Esto es cuando un movimiento en un mar de no-movimientos crea un acento, es decir, el uso de una Transición en medio de Transiciones Cero (las cuales no contienen movimiento) producirá un acento en la Transición de movimiento. Esto puede parecer raro pero, en realidad, es una herramienta valiosa (la coreógrafa nunca debería perder de vista el hecho de que en la danza no moverse es tan importante como moverse).

Se podría pensar en preguntar, ¿cómo produce el Acento por Movimiento un acento cuando el acento es una idea comparativa?, es decir, ¿con qué se compara el movimiento acentuado? En primer lugar, es importante resaltar que las Transiciones Cero son Transiciones en sí mismas. En segundo lugar, tenemos que considerar el establecimiento de expectativas respecto de la métrica con acentos regulares. Por ejemplo, imaginemos en música un vals con una nota fuerte en el tiempo uno y dos tiempos más suaves en el dos y en el tres, que continúa por algún tiempo. Si luego omitimos completamente el primer tiempo por algunos compases, aún sentiremos una especie de acento fantasma en esos primeros tiempos; lo mismo aplica en danza.

acento por dirección En general, un movimiento hacia abajo parece más acentuado que uno hacia el lateral o hacia arriba. Consideremos a la directora de orquesta quien, al indicar la métrica, siempre ubica el tiempo acentuado - usualmente llamado *downbeat* - en un movimiento del brazo hacia abajo, por ejemplo, en un vals el tiempo *uno* acentuado va hacia abajo, el *dos* hacia el lateral, y el *tres* vuelve hacia arriba en diagonal. Significativamente, la nota anterior a un acento en música suele ser llamada *upbeat*. Del mismo modo en danza, un movimiento direccionado hacia el suelo en medio de otros movimientos (todos los demás siendo iguales) tomará el acento.

acento por diferencia Si tenemos una secuencia de tres movimientos similares y luego uno que es diferente y la secuencia se repite varias veces, entonces percibiremos al movimiento diferente como el acentuado. Por ejemplo, pensemos en tres movimientos de mano con el codo quieto, luego un movimiento del codo, y este patrón repitiéndose una y otra vez. En este caso, el movimiento del codo tendrá el acento. Este efecto puede incluso cruzarse entre las bailarinas; por ejemplo, la bailarina número uno se mueve tres veces y luego la bailarina número dos se mueve una vez, y el patrón se repite. Aquí, los movimientos de la bailarina número dos tendrán el acento.

acento dominante De la lista anterior se podría deducir que las Transiciones pueden tener muchos factores que produzcan acentos. Entonces debe suceder que algunas Transiciones tengan unos u otros factores produciendo el acento, y que las Transiciones adyacentes tengan otros diferentes. Aquí surge una pregunta importante, ¿cuáles de estos son más importantes? ¿cuáles son los Acentos Dominantes? Por ejemplo, el Acento por Volumen casi siempre dominará a los otros acentos explicados anteriormente, pero el Acento por Diferencia es también muy potente cuando el sonido no está presente. El uso de dos métodos que produzcan acentos contradictorios en diferentes transiciones que son más o menos iguales es también un dispositivo intrigante. Aquí es posible para el público deslizar su mente de un acento al otro, un poco como sucede con ciertas ilusiones ópticas, en las que el ojo puede saltar de una interpretación de la imagen a otra. No obstante, cuando la coreógrafa desee producir un acento claro y no ambiguo, lo más simple es alinear dos o más de los factores que producen acentos antes nombrados en una única Transición, por ejemplo, utilizando un movimiento rápido y diferente hacia abajo en medio de movimientos más lentos, similares y hacia arriba o hacia los lados. A menudo se piensa que los acentos son extremos, pero deberíamos enfatizar que los más efectivos suelen ser pequeños y sutiles.

acento por patrón Cuando un patrón de acentos y no-acentos es repetido, el público tenderá a continuar la secuencia – esto es un Acento por Patrón. La métrica en música es una forma de Acento por Patrón donde, por ejemplo, en una marcha, cada cuarto tiempo es acentuado, o en un vals donde esto sucede cada tres tiempos. Incluso si introducimos algunos compases de silencio en los que obviamente no hay acentos, tenderemos a imaginarlos siguiendo el patrón. Podemos ver esto también en poesía. Si consideramos el poema *The Tyger*, en su versión original en inglés, vimos que Blake está acentuando la primera, tercera y quinta sílabas de la estrofa. Si observamos la tercera estrofa, *And what shoulder, and what art*, podemos ver que la palabra *'and'*, que por su naturaleza normalmente no sería acentuada, es forzada por el patrón dominante del poema a ser acentuada. Lo que es particularmente interesante en este ejemplo es que, si el texto se lee como prosa, los *'and'* no tienen acento, pero al ser leído como poesía con los acentos, estos cambian su significado para convertirse en palabras de insistencia. Del mismo modo, en la danza, podemos establecer patrones de acentos y, tal como en los ejemplos de música y texto, su tendencia general será la de continuar.

síncopa Como vimos recién, una vez que un patrón de acentos es establecido, este continuará naturalmente; no obstante, es posible subvertir el patrón poniendo acentos en el lugar 'equivocado'. Esto se llama Síncopa y sucede mucho en la música, especialmente en el ragtime y en el jazz, y puede producir sorpresa y tensión además de desarmar secuencias predecibles. Para que sea efectivo, es esencial mantener los patrones rítmicos subyacentes antes y después.

acentos musicales Mucha de la danza utiliza música como acompañamiento, y acabamos de ver que en la música es muy fácil producir acentos dominantes a través del uso del Acento por Volumen. En vistas de esto, ¡muchos coreógrafos parecen decidir dejar que la música se encargue de los acentos mientras ellos lidian con asuntos más importantes! Esto es trágico por dos razones. La primera es que el acento no es meramente un concepto binario (es decir, acentuado o no acentuado), sino una gama sutil y variada de énfasis pequeño que constituye una parte crucial de la estructura de movimiento. Volviendo a nuestro poema *The Tyger*, la primera, tercera, quinta y séptima sílabas son todas acentuadas pero, significativamente, no en la misma medida. El poeta, mediante una meticulosa elección de las palabras y del orden de las palabras, se asegura de que el flujo de acentos variados dé forma y guíe al poema. Así también, la coreógrafa debe usar todas las sutilezas de acentuación de movimientos para dar forma a su coreografía - la falla en ello resulta inevitablemente en Danza de Prosa. La segunda consecuencia de seguir servilmente los acentos musicales es no permitir que la coreografía reinvente a la música, y discutiremos esto en mayor profundidad en el capítulo sobre Música.

duraciones Así como los acentos, las duraciones de las Transiciones son importantes. La mayoría de las Transiciones duran más que un solo tiempo, y el modo en que la mayor parte de las coreógrafas describe estas duraciones es a través del Conteo. Hay dos modos de usar cuentas – el primero se basa en la Métrica subyacente, la cual puede estar basada en unidades de cuatro como en una marcha, o en unidades de tres como en un vals. El segundo sistema consiste en seguir usando el pulso de base, pero solo contando la duración de la Transición independientemente de la Métrica. A modo de ejemplo, digamos que en una obra con una métrica de cuatro, tenemos una serie de Transiciones con las siguientes duraciones: 3, 5, 2, 1, 5 tiempos. El comienzo de cada movimiento puede ser contado como:

1 2 3 **4** 2 2 3 4 **3** 2 **3** **4** 4 2 3 4 o como **1** 2 3 **1** 2 3 4 5 **1** 2 **1** **1** 2 3 4 5.

Cualquiera de ellas puede ser utilizada, pero ambas tienen sus ventajas. La segunda es más sencilla y enfatiza los patrones rítmicos, los cuales son menos claros en la primera. El primer método mantiene el sistema subyacente de acentos, muestra más claramente cómo los movimientos encajan en una estructura general y, como mencionamos en el párrafo sobre Métrica, es mucho más fácil mantener la cuenta de duraciones de tiempo más largas. Otro factor a tener en cuenta es la corrección de errores. En el segundo sistema, supongamos que una bailarina accidentalmente cuenta el movimiento tres como si durara tres tiempos en lugar de dos, entonces es casi imposible corregir el error. Todos los movimientos que siguen estarán en el lugar equivocado, mientras que, en el primer sistema, la bailarina puede ajustarse rápidamente escuchando con atención los acentos métricos. En particular, cuando hay dos o más bailarinas usando Transiciones de diferentes longitudes, el primer sistema muestra claramente la relación entre los movimientos de las bailarinas, mientras que el segundo sistema pronto se vuelve confuso. En general, cuando la métrica es constante, recomendaríamos utilizar el primero. No obstante, puede haber ocasiones especiales en las que el segundo sistema resulte más apropiado, por ejemplo, en el caso de una obra cuya Métrica cambie continuamente.

Tal como discutimos en el apartado sobre Patrones Morse, es muy fácil que la coreografía caiga en un flujo continuo de Transiciones con duraciones iguales (usualmente alrededor de una por segundo), frecuentemente en conexión con Transiciones Fluidas. Este problema puede verse incluso en las secuencias de algunos de los coreógrafos más reconocidos e inevitablemente resulta en el aplanamiento y pérdida de fuerza de la obra.

subdivisión del pulso En el párrafo previo, consideramos a todas las Transiciones comenzando en uno de los pulsos y durando números completos de pulsos. Con Transiciones más rápidas que el pulso o incluso Transiciones que duran, por ejemplo, tres pulsos y un cuarto (es decir, compuestas de fracciones de pulsos), necesitamos algún modo de contar entre los tiempos. Cuando las Transiciones ocurren a medio camino entre pulsos, las bailarinas normalmente usan 'y' entre los números, 1&2&3 4&, etc. Si el tiempo se divide en tres partes, entonces el conteo puede usar 'y' más el sonido 'a', por ejemplo, 1&a2 a3& 4&a. Si el tiempo se divide en cuatro, entonces puede usarse el sonido 'e' más '&' más 'a', 1e&a2e& 3 &a4e a. Si la obra utiliza muchos cuartos de pulsos o incluso divisiones más pequeñas, entonces podría considerarse duplicar el ritmo del pulso, de modo tal que los medios pulsos se vuelvan pulsos y los cuartos de pulsos sean ahora medios pulsos. En una obra, la subdivisión del tiempo no necesita ser constante – se puede dividir un tiempo en tres, el siguiente en cuatro, etc. Los pulsos pueden ser divididos por cualquier número, por ejemplo, cinco, siete, etc., y esto puede producir efectos emocionantes. En este caso, usualmente se puede idear alguna forma para describir verbalmente el proceso.

métrica compleja La mayoría de las obras mantienen una métrica constante, por ejemplo, tres pulsos o cuatro pulsos entre cada acento a lo largo de toda la pieza. No obstante, es posible cambiar el número de un compás al siguiente – para ser claros, el pulso se mantiene con la misma duración, pero los acentos no caen de forma constante. Una posibilidad común es la de la alternancia entre dos métricas diferentes, digamos, por ejemplo, cuatro y tres, lo que produciría cuentas de **1** 2 3 4 **1** 2 3 **1** 2 3 4 **1** 2 3, etc. Este tipo de métrica desequilibrada es común en las tradiciones folklóricas de Europa del Este. También son posibles patrones de repetición más complejos, y estas métricas a menudo pueden ser encontradas, por ejemplo, en los Talas en la música y las danzas de la India:

1 2 3 4 5 **1** 2 **1** 2 3 **1** 2 3 4 **1** 2 3 4 5 **1** 2 **1** 2 3 **1** 2 3 4.

Además de repetir patrones métricos, es posible cambiar la métrica continuamente sin un patrón, por ejemplo:

1 2 3 **1** 2 3 4 5 6 7 **1** 2 **1** 2 3 4 **1** 2 **1** 2, etc.

Esto es común en algunas piezas de música del siglo XX (ver Ritmos Ocultos).

ritmos ocultos Esta es una forma de Métrica Compleja en la que el pulso usualmente es muy veloz, y cada Transición tiene una duración diferente, por ejemplo, 7, 3, 5, 2, 4, 5 tiempos, etc. Las performers están contando el pulso rápido y de ese modo son capaces de ejecutar (a menudo al unísono) lo que a los ojos del público (que no es consciente del pulso subyacente) se percibe como patrones increíblemente complejos, casi aleatorios.

danza arrítmica ¿Qué sucede con la danza en la que no hay pulso, donde las Transiciones simplemente suceden cuando suceden? Esto es posible y puede producir resultados emocionantes – no obstante, surgen dos problemas prácticos. Uno es que sin un pulso, es difícil para la coreógrafa comunicar las duraciones de las transiciones a la bailarina. Las mismas pueden dejarse libres, pero en ese caso, el resultado puede ser diferente de aquel que pretendía la coreógrafa (hablaremos más acerca de esto en el capítulo sobre Improvisación). También, la sincronización entre bailarinas, por ejemplo de movimiento al unísono, se vuelve difícil. Una segunda cuestión práctica es que el cuerpo es simétrico y tiene una tendencia hacia los patrones regulares (por ejemplo, la caminata, la respiración, el latido del corazón, etc.) por lo que la coreografía puede deslizarse hacia ritmos familiares. Esto es especialmente cierto, dado que el público también tiende a ver tales patrones donde no existen (un poco como ver rostros en la luna).

Para la coreógrafa que desee generar ritmos de movimiento aparentemente libres y casi aleatorios, puede que sea más fácil utilizar métricas muy complejas a gran velocidad (es decir, Ritmos Ocultos). Estos, por un lado, son muy difíciles de percibir para el público y, por otro, pueden evitar el deslizamiento hacia patrones más regulares.

aceleración Esto es cuando el pulso de la danza aumenta la velocidad gradualmente y puede producir un incremento de la emoción y la tensión. Esto puede verse más claramente con Transiciones que duran la misma cantidad de tiempos, y especialmente cuando las Transiciones son repetidas, pero en general se sentirá como si el pulso se incrementara. Se puede producir una Aceleración Artificial alternativa manteniendo el mismo pulso pero reduciendo gradualmente la duración de las transiciones, por ejemplo, una secuencia de transiciones que dura, supongamos, cuatro tiempos, tres y medio, tres, dos y medio, etc.

desaceleración Esto es lo opuesto a la Aceleración, donde el pulso de la danza gradualmente se ralentiza. Se puede utilizar para lograr un efecto dramático pero se encuentra más comúnmente en el cierre de una sección para indicar que la pieza está llegando a su fin. Todos los puntos señalados acerca de la Aceleración aplican aquí, incluyendo aquellos sobre la Aceleración Artificial.

ritmo del texto Aquí, la temporalidad de los movimientos de la bailarina es controlada por las duraciones y ritmos de algún texto recitado. El texto recitado tiene ritmos predecibles, entonces es relativamente sencillo sincronizarse con las palabras, aunque estas carezcan de la precisión métrica más exacta de la mayoría de la música. Esta falta de métrica fija brinda a la coreografía que sigue a un texto una sensación rítmica más sutil y fluida que el uso de música con un pulso estricto. Las palabras también tienen acentos y estructuras internas a las que la coreografía puede seguir u oponerse. También, la coreografía puede relacionarse con el significado de las palabras de un modo muy preciso, incluso al punto de ilustrarlas.

7 estructuras

Para crear obras, las Posiciones Clave, Transiciones y Patrones necesitan ser organizados dentro de estructuras más grandes. Estas estructuras tienen dos objetivos. En primer lugar, proporcionar un equilibrio entre variedad y unidad – si no hay suficiente variedad, la obra puede tornarse aburrida; si no hay suficiente unidad, entonces la obra se desmoronará y no será vista como una entidad. En segundo lugar, dar forma a la experiencia del público de modo tal que la obra se desarrolle y alcance una conclusión satisfactoria.

forma de repetición Esta es posiblemente la estructura más simple donde tenemos un fragmento de material, y lo repetimos una y otra vez (forma AAAA, etc.). En música, esto a veces es utilizado para canciones. Repetir simplemente algo una y otra vez puede volverse aburrido rápidamente sin variedad alguna. No obstante, en la canción, cada estrofa tendrá diferentes palabras; de modo que cuando estas sean importantes, pueden compensar la repetición. Goethe prefería esta estructura cuando los compositores realizaban arreglos musicales de sus poemas, porque esta enfatiza la importancia de las palabras por sobre la música. En la danza, sin embargo, sin palabras diferentes para cada repetición, esto puede volverse tedioso muy rápidamente. Aun así, puede haber casos excepcionales en los que la Forma de Repetición funcione, por ejemplo, si el movimiento es excepcionalmente complejo y el público ve algo distinto en cada repetición, o si el movimiento es físicamente muy demandante y la exigencia de repetición aporta una especie de virtuosismo de fisicalidad a la obra. A veces, también, la repetición cruda es una característica de la obra a nivel dramático, ritual, o incluso en términos de una cierta perversidad. Un ejemplo famoso de esto es *Nelken Line*, de Pina Bausch, donde la repetición es hasta cierto punto contrarrestada por la música y por el hecho de que hay un conjunto variado de bailarinas en acción, de modo tal que es posible comparar sus interpretaciones. Finalmente, en algunas formas de Minimalismo, la repetición simple es un pilar fundamental.

forma de dos partes Esta también es una estructura muy simple donde tenemos un fragmento de material que luego es seguido por otro, el cual es diferente pero similar y en ocasiones esto recibe el nombre de estructura AB. Esta solo es apropiada para obras razonablemente cortas o para partes de obras.

forma de tres partes Aquí tenemos una primera sección, luego una sección contrastante, seguida de una repetición de la primera sección. Esta estructura de sándwich ABA se sostiene mejor que la Forma de Dos Partes, y la sección B del medio puede ser más contrastada, proporcionando así mayor variedad. Muy a menudo, en la Forma de Tres Partes, la sección A es repetida para obtener una estructura de AABA la cual, debido a su asimetría, puede proveer una estructura de avance más dinámica que la forma más simple de ABA.

forma de retorno Aquí una sección inicial, (A), es repetida tres o más veces con interludios contrastantes en el medio, por ejemplo, A B A C A D A. Algunas de las secciones intermedias pueden ser repetidas también, por ejemplo, A B A C A B A D A, etc. Esta es una forma potente en tanto que las secciones A recurrentes mantienen la unidad de la obra mientras que los interludios aportan contraste y variedad.

forma de estrofa y coro La Forma de Estrofa y Coro es un poco como la forma de retorno, excepto que las secciones que cambian (las estrofas) tienden a preceder a las secciones que se repiten (los coros), es decir, B-A C-A D-A, etc., y los pares de secciones parecen más conectados, con la sección A formando una especie de conclusión para las secciones precedentes. Esta forma es común en muchos poemas y canciones, incluyendo a la mayoría de las canciones populares. En la danza, las 'estrofas' frecuentemente son interpretadas por una serie de bailarinas solistas, mientras que los coros son interpretados por el grupo completo.

forma de estribillo La Forma de Estribillo es similar a la Forma de Estrofa y Coro, excepto que el equivalente al coro, es decir el estribillo, usualmente es mucho más corto, quizás constando solo de algunas Transiciones, las cuales se repiten y parecen completar las secciones precedentes.

forma de variación La Forma de Variación es una estructura extremadamente fuerte y muy útil para la coreógrafa. Aquí una sección de material es creada, y luego repetida una cierta cantidad de veces, pero cada vez con algunas modificaciones aplicadas al material original. Lo que hace que las Variaciones sean tan potentes es que la repetición del material sostiene y unifica a la obra, mientras que las variaciones evitan que las repeticiones se tornen monótonas y continuamente muestran al material original bajo una nueva luz. Algunos de los modos infinitos de variar el material original incluyen Cambio de Velocidad, Decoración (en la que el material original es embellecido con ornamentos), Inversiones y Espejado, Fragmentación, etc. Hay dos formas principales de variaciones – autorreferencial y orgánica. En la Autorreferencial, cada una de las secciones de variación hace referencia a la sección inicial original, es decir, primero, un aspecto es modificado, luego ese cambio es descartado, y otro elemento es modificado en la siguiente variación, y así sucesivamente. Esta estructura usualmente es evidente para el público. En las Variaciones Orgánicas, cada nueva variación hace referencia a la variación que la precede, de modo tal que los cambios y alteraciones se acumulan gradualmente hasta que muy a menudo la variación final no guarda relación alguna con la original (un poco como el juego del Teléfono Escacharrado o Teléfono Descompuesto). La Variación Orgánica (así llamada porque parece imitar el modo en que la naturaleza funciona, por ejemplo, el proceso de la diminuta bellota que crece hasta convertirse en un roble es, de una etapa a la siguiente, claro, pero si comparamos el estado inicial con el final, estos son desconcertantemente diferentes), permite una diversidad mucho más amplia de material pero generalmente es más difícil de seguir para el público.

flujo de pensamiento Aquí la estructura toma la forma de un flujo continuo de material sin el uso de repetición o siquiera de secciones. Esta forma brinda a la coreógrafa gran libertad dado que, de un momento al siguiente, cualquier cosa es posible. Tal como se da en el proceso de pensamiento de una persona, es posible estar pensando en una cosa en un momento y en algo completamente diferente en el siguiente. No obstante, la falta de secciones y, en particular, de repeticiones de secuencias hace a este tipo de obra más difícil de aprender para las bailarinas.

forma narrativa En la Forma Narrativa, la estructura de la danza sigue una historia. La historia puede ser explícita y presentada al público en forma de un programa de mano o por medio de texto, discurso o mímica. Sin embargo, la historia también puede ser implícita y conocida solo por la coreógrafa, quien simplemente la utiliza para dar coherencia y sentido a los eventos pero no la comparte con el público.

recitativo-aria En las óperas tempranas aparecían dos líneas – primero, la necesidad de introducir narrativa, ideas y desarrollo dramático y en segundo lugar, la necesidad de explorar esos conceptos musicalmente. Esto condujo a un formato ampliamente utilizado, en el que una primera sec-

danzas de amor que se fue

ción llamada Recitativo usaba un tipo de convención de canto más similar al habla para presentar la narrativa y las conversaciones. Esta era seguida por un Aria, la cual es más sofisticada, melódica y desarrollada, para explorar el material anterior. Luego la fórmula era repetida a lo largo de la ópera. Los compositores posteriores (por ejemplo Richard Wagner) encontraron a esta configuración demasiado formulaica y predecible, además de que ralentizaba el flujo dramático, entonces tendieron a fusionar las dos líneas en un todo homogéneo. La división de Recitativo-Aria es un tanto artificial, pero si podemos aceptar su antinaturalidad (tal como debemos hacer con tantos aspectos de la ópera), encontraremos algunos ejemplos hermosos, especialmente en el período Barroco. En la danza que utiliza narrativa, esta división entre contar una historia y luego expresar reacción también puede ser usada – a veces con algún tipo de mímica o movimiento gestual para el Recitativo y una danza más fluida para el Aria. En la danza que utiliza texto o en aquella en la que las bailarinas hablan, ellas pueden impartir esta información primero, antes de danzar una respuesta, y este formato puede resultar sorprendentemente efectivo.

estructura de bloque En la Estructura de Bloque, secciones de material diverso y contrastante son simplemente unidas forzosamente sin ningún intento de transición entre ellas. Los materiales muy diversos y los cambios repentinos hacen de este un formato muy dramático si puede ser logrado. El peligro obvio con esta estructura es que puede parecer deliberadamente aleatoria, pero esto puede ser contrarrestado asegurándose de que los Bloques individuales tengan una cohesión interna sólida.

marcos temporales En ocasiones hemos visto que la coreógrafa, por diversos motivos, puede no querer especificar los movimientos de una obra de momento a momento, por ejemplo, a causa de eventos externos que incidan en la obra, por un deseo de dar a las performers ciertas libertades, por interacciones complejas impredecibles, etc. Un posible problema aquí es que la obra o sección puede volverse amorfa, imprecisa y carente de estructura (lo cual puede ser la intención, por supuesto). No obstante, si la coreógrafa desea mantener el control de la estructura general, puede utilizar Marcos Temporales. Esto es cuando la obra es dividida en una serie de pasajes temporales que pueden estar indicados por señales provenientes de la música o de las bailarinas. A veces, las bailarinas utilizan conteos de respiración, en los que un número de respiraciones especifica las duraciones. El contenido coreográfico de estos marcos puede luego ser especificado. Como un ejemplo muy simple, podemos decir que en el marco uno, las bailarinas solo pueden mover sus cabezas; en el marco dos, cabezas y hombros; el marco tres puede incluir brazos; en el marco cuatro el cuerpo entero puede moverse, etc. Aunque no hemos especificado cuáles son los movimientos, sus velocidades, ni nada sobre ellos, esta simple estructura de marco producirá una forma dinámica que será fácilmente leída por el público. Esta técnica funciona mejor con movimientos muy lentos, a menudo de una naturaleza meditativa o ritual.

contrapunto Si contamos con dos o más bailarinas, podemos coreografiarlas para que estén haciendo Posiciones Clave y Transiciones diferentes, pero de un modo tal que compongan un todo que sea más que la suma de las partes. Es posible coreografiarlas de forma completamente independiente; no obstante, esto corre el riesgo de terminar en movimientos inconexos que no tienen nada que ver unos con otros. Los modos de evitar esto y de reunir las diferentes líneas o movimientos son, en primer lugar, hacer que compartan una estructura de tiempo similar – usualmente una pieza musical. En segundo lugar, las distintas bailarinas pueden compartir Transiciones, Posiciones Clave y Patrones, con estos simplemente sucediendo en diferentes momentos y posiblemente mezclados con algunos que sean específicos para cada bailarina. En tercer lugar, puede haber momentos de unísono intercalados a través de la sección que luego se abran en líneas de movimiento independientes. Finalmente, una herramienta muy útil son los Patrones Entrelazados, en los que una o más bailarinas se mueven en las pausas de las otras bailarinas y viceversa. Dos formas comunes de contrapunto usadas en la danza son el Canon y la Fuga, las cuales examinaremos en el capítulo Unísono.

estructura temática Aquí el elemento que unifica la estructura es una única idea que es mantenida durante toda la obra o sección y por lo tanto le confiere unidad. El tema de la sección puede ser tan simple como una Posición Clave Fija o algo más abstracto y complejo. En cierto sentido, la Estructura Temática es más una textura que una verdadera estructura, dado que no tiene una forma. Esto quiere decir que puede ser superpuesta sobre alguna de las otras estructuras que ya hemos discutido.

modulación Un elemento primordial en las estructuras de la música tonal (casi toda la música clásica anterior al siglo XX y toda la música popular), es la idea de tonalidad y principalmente modulación. Aquí, al comienzo de la pieza, se priorizan notas específicas mediante el uso de varios patrones melódicos y de acordes que definen la Tonalidad de la música (por ejemplo Sol menor, Si mayor, etc.). Estos patrones se mueven para priorizar una Tonalidad diferente durante la pieza, y este movimiento se denomina

Modulación. Este movimiento puede ocurrir una o más veces y, usualmente, la obra termina Modulando de vuelta hacia la Tonalidad original, lo cual produce una sensación placentera de retorno y compleción. La danza no posee esta sensación de Tonalidad bien reconocida y definida; no obstante, en una obra de danza, los principios de la Modulación pueden ser simulados utilizando varios medios como, por ejemplo, posicionamiento relativo, distorsión, retorno a configuraciones reconocibles.

conjunto estructural Hemos visto que la coreógrafa está caminando sobre una cuerda floja, con, por un lado, el riesgo de que la obra se desmorone por contar con demasiada diversidad, y, por otro lado, el riesgo de que resulte aburrida por mostrar demasiado de lo mismo. Un concepto que puede ayudar a navegar este dilema es el del Conjunto Estructural, al cual podemos imaginar como una especie de caja que contiene todos los elementos de la obra, Posiciones Clave, Patrones, Transiciones, Dinámicas, Conceptos, etc. Quitar elementos de la caja (es decir, restricciones/posibilidades) ajustará la estructura; agregar elementos la aflojará.

Deberíamos culminar este capítulo con unas palabras de advertencia – las estructuras que hemos estado discutiendo son herramientas básicas o andamios, y el uso de cualquiera de ellas no asegura la integridad estructural de la obra. Para esto, necesitamos observar cómo todos los elementos, desde las Posiciones Clave hacia arriba, encajan juntos y progresan. Necesitamos observar el orden de los nuevos eventos y la lógica de qué sigue a qué. Necesitamos tomar en consideración las dinámicas, los clímax y posiblemente la forma dramática. Finalmente, necesitamos considerar las relaciones entre secciones, si pueden ser leídas, y cómo esto es afectado por la proximidad temporal. En pocas palabras, podría decirse que cada estructura es única y necesita ser pensada tanto en términos *bottom-up* (de abajo a arriba) como *top-down* (de arriba a abajo).

8 movimiento pedestre

El término Movimiento Pedestre es utilizado en danza para describir el concepto por el cual actividades cotidianas normales (como por ejemplo caminar, beber té, leer un libro, etc.) son incluidas en la coreografía. Esta idea se compara a veces con la práctica de utilizar objetos encontrados en las artes visuales, tal como sucede en las obras de Marcel Duchamp.

Estas adiciones al vocabulario han sucedido periódicamente en la historia de la danza (de hecho, casi podría argumentarse que todos los movimientos de danza fueron alguna vez importaciones pedestres). Generalmente, hay dos formas en que estas adiciones se realizan. Por un lado, algunas coreógrafas buscan mantener los orígenes de los movimientos sin integrarlos, a menudo para transgredir las prácticas de danza en curso (por ejemplo, las y los artistas del movimiento Dadaísta en los años '20 y también el Grupo Judson en los años '60). Por otro lado, muchas coreógrafas buscan simplemente enriquecer su vocabulario coreográfico por medio de la integración homogénea de nuevos movimientos dentro de sus obras.

Entonces, en el segundo caso, ¿cómo hace la coreógrafa para integrar o transformar movimientos cotidianos en movimientos de danza? El modo más básico es simplemente señalando al público que la coreógrafa quiere que los movimientos sean vistos de este modo. La mera inclusión de movimientos pedestres en un contexto de danza formal a menudo será suficiente para lograrlo. Por ejemplo, si estamos en un teatro viendo a bailarinas sobre el escenario en una performance y ellas comienzan a cortar madera, naturalmente tenderemos a ver a esos movimientos dentro de un contexto de danza como parte de la coreografía. De hecho, a menudo se requerirá de cierto esfuerzo por parte de la coreógrafa para mantener las cualidades 'pedestres', las cualidades no integradas (ver la sección Alternancia en este capítulo), en obras presentadas en un espacio de danza típico.

No obstante, mucha danza ocurre en situaciones no teatrales, como la danza de sitio específico o la danza en film, donde los elementos de danza son mucho menos obvios. Por ejemplo, si las bailarinas están haciendo su performance en un centro comercial rodeadas de no-performers (quienes naturalmente estarán haciendo sus movimientos pedestres normales como caminar), puede que sea más difícil hacer ver a la caminata de las bailarinas como parte de una coreografía.

En esta situación, el modo usual de señalar que los movimientos deberían ser vistos como danza, un tipo de alquimia coreográfica, es mediante su Estilización. Como dijimos, en un contexto teatral, el público tenderá a integrar los movimientos pedestres, pero incluso allí, aunque quizás no sea estrictamente necesario, esta Estilización puede ser útil también, en tanto ayuda a integrar al movimiento pedestre con los otros movimientos más formales.

estilización En este contexto Estilización significa utilizar alguna técnica que lleve la atención al movimiento y lo vuelva memorable. Algunas de las técnicas comunes son (usaremos para estos ejemplos al Movimiento Pedestre de una persona sentada en un café bebiendo una taza de té):

estructuración rítmica Aquí, la performer realiza el Movimiento Pedestre siguiendo algún patrón rítmico regular. En el ejemplo del té, digamos que levanta la taza durante cuatro tiempos, bebe durante cuatro tiempos, baja la taza durante cuatro tiempos, hace una pausa durante cuatro tiempos, y luego repite toda la secuencia. Frecuentemente se utiliza música para proporcionar la estructura rítmica, de modo que la ejecución de casi cualquier movimiento realizada a tiempo con una pieza musical adquiere una cualidad de danza.

unísono Aquí dos o más bailarinas levantan sus tazas en simultáneo, beben un sorbo al mismo tiempo, bajan sus tazas juntas, etc. Estas acciones sincronizadas pueden utilizar la estructuración rítmica que acabamos de mencionar o ser rítmicamente libres.

desviación Aquí la bailarina distorsiona de algún modo el movimiento normal. Por ejemplo, al levantar la taza, extiende el brazo lejos hacia adelante antes de traerla a su boca.

dinámica Aquí se da a los movimientos individuales una calidad dinámica inusual, por ejemplo, comenzando lentamente y luego acelerando.

no estilización En situaciones en las que se pretenda que el Movimiento Pedestre no sea integrado y mantenga sus orígenes no dancísticos, es esencial evitar todas las técnicas de estilización mencionadas anteriormente y ejecutar los Movimientos Pedestres de un modo completamente natural. Esto puede resultar difícil para muchos bailarines profesionales, dado que han sido entrenados para ser altamente conscientes de sus movimientos, entonces incluso algo tan simple como caminar por el escenario de forma natural puede ser un desafío. Las mejores bailarinas pueden ejecutar Movimientos Pedestres en forma fluida y natural.

Además de enriquecer el vocabulario de movimiento y contribuir a la ruptura de convenciones en la danza, otras razones para considerar el uso de la Danza Pedestre son la Inclusividad, la Humanización de las Bailarinas y la puesta en relieve de elementos dancísticos.

inclusividad Uno de los aspectos del uso de movimientos pedestres implica la expansión del rango de personas que pueden participar en performances. Muchas coreografías involucran a performers altamente entrenadas con habilidades y fortalezas cuidadosamente desarrolladas, ya sea que eso implique bailar en puntas o hacer la caminata lunar. Los Movimientos Pedestres, por definición, son movimientos que cualquier persona puede ejecutar fácilmente y por eso son muy útiles en obras que incluyan a bailarinas no entrenadas, por ejemplo, en el caso de obras que involucren a grupos con dificultades de aprendizaje, obras con niñas y niños, grandes proyectos comunitarios, obras con participación del público.

humanización Hay algunos contextos en los que podemos querer hacer que las bailarinas luzcan como seres de otro mundo, distantes, incluso como formas físicas abstractas. Sin embargo, la mayoría de las veces, una obra de danza comunicará más si el público se identifica y empatiza con las bailarinas como seres humanos reales. Hacer que las bailarinas luzcan menos distantes, más reales, más parecidas al común de la gente, puede ser logrado del modo más sencillo dejando que las bailarinas, cuando no están coreografiadas, vuelvan a comportarse del modo en que típicamente lo harían, por ejemplo, si una bailarina está ejecutando un solo fantástico, sería natural que las otras bailarinas en el escenario la observen. No obstante, tal actividad escénica nunca debería convertirse en una distracción.

pedestre simultáneo Aquí la bailarina realiza movimientos coreografiados y, al mismo tiempo, algunas acciones pedestres (comúnmente comer, beber, hablar, fumar, etc.), las cuales también pueden estar rigurosamente coreografiadas o dejarse más libres. Este es uno de los mejores métodos para humanizar a las bailarinas, dado que ahora vemos claramente que el ser que ejecuta sus asombrosos movimientos coreografiados es, de hecho, mortal. La técnica puede ser usada para una multitud de otros propósitos, por ejemplo, humorísticos, o para dar a la bailarina una especie de doble personalidad, para enfatizar el aspecto 'dancístico', etc.

alternancia Una técnica fascinante es la de alternar entre el movimiento pedestre y el movimiento estructurado. En este caso, una vez más tenemos el problema de intentar mantener las cualidades pedestres del Movimiento Pedestre. Como se mencionó al comienzo, cualquier movimiento puesto en un contexto de danza comenzará a perder su naturaleza cotidiana – ¿cómo podemos contrarrestar este proceso? Este problema, no obstante, resalta la ya mencionada naturaleza del verdadero movimiento pedestre (no estilizado), que tiene una cualidad de falta de autoconciencia y una cierta aleatoriedad. Irónicamente, como ya dijimos, algunas de las personas menos capaces de moverse de este modo son los bailarines profesionales – años de disciplina y conciencia en todo momento de la posición y movimientos de sus cuerpos los vuelven incapaces de comportarse de un modo natural. Aun así, cuando puede ser lograda naturalmente, la alternancia puede hacer cosas fantásticas. En primer lugar, nuevamente humaniza a la bailarina, pero en segundo lugar, y lo que es más importante, resalta y expone con gran claridad lo que la danza exactamente es, es decir, movimiento estilizado.

accesorios El Movimiento Pedestre a menudo implica interacción con objetos, como sucede en la vida real. Puede resultar tentador, a los fines prácticos, utilizar objetos imaginarios, pero siempre que sea posible, recomendaríamos utilizar el objeto real (un libro, una manzana, un teléfono, etc.), dado que esto hará que sea mucho más fácil para la bailarina ejecutar los movimientos, y las incongruencias o efectos de humanización se verán magnificados.

9 interacción

Cuando reunimos a dos o más bailarinas, tenemos la posibilidad de interrelación de sus movimientos, la cual puede ser explotada ya sea para efectos visuales abstractos o para propósitos narrativos/dramáticos (¡o ambos!).

unísono Este es uno de los elementos clave de la danza, donde las bailarinas realizan los mismos movimientos en forma simultánea. El Unísono, junto con sus variantes, es tan importante que requiere un capítulo propio.

manipulación Aquí una o más bailarinas mueven partes del cuerpo de otra bailarina. La manipulación puede ser pasiva, es decir, la bailarina manipulada se mantiene maleable y dócil, o bien con resistencia, donde la bailarina manipulada tiene que ser forzada para cambiar de posición. La primera variante enfatiza la naturaleza mecánica del cuerpo humano, con sus bisagras y funcionamientos internos, y permite a la coreógrafa definir la plasticidad del cuerpo manipulado de un modo interesante. Por ejemplo, si una bailarina levanta el brazo de otra bailarina y luego lo suelta, ¿el brazo permanece en el lugar en el que fue ubicado o cae? Cada posibilidad muestra algo diferente e interesante. Tanto la forma de manipulación pasiva como la que se realiza con resistencia pueden ser usadas como parte de alguna forma narrativa o dramática, en tanto que el control de otra persona constituye un componente importante en muchas historias. Lo más común es que la bailarina utilice sus manos y brazos para manipular a la otra bailarina, pero puede ser fascinante usar distintas partes del cuerpo, por ejemplo, los pies y las piernas, la cabeza o incluso el cuerpo entero. De algún modo, la Transición de Automanipulación sobre la que hablamos en el capítulo Tres puede ser pensada como un tipo de interacción. Aunque solo involucra a una bailarina, lo que percibimos allí es una especie de doble personalidad, donde la bailarina está dividida en dos identidades que están en conflicto.

manipulación a distancia Esto funciona del mismo modo que la Manipulación, pero aquí, la segunda bailarina no está en contacto con la primera. Esta falta de contacto puede proporcionar un efecto casi mágico y también trae a la mente el concepto de la marioneta – casi como si unas cuerdas invisibles conectaran a las bailarinas.

manipuladora manipulada Frecuentemente, la bailarina que está siendo manipulada a distancia no puede ver a la manipuladora, porque puede que esta se encuentre detrás suyo, o puede que la bailarina manipulada tenga sus ojos cerrados. En este caso, se pueden utilizar pies rítmicos en la música para coordinar la temporalidad de los movimientos. No obstante, por la dinámica y extensión de los movimientos, puede que sea necesario que la manipuladora en realidad esté siguiendo a la bailarina manipulada ¡siendo de este modo también manipulada por ella!

diálogo Aquí las bailarinas alternan movimientos y posiciones en un modo similar a un intercambio verbal. La analogía discursiva es muy fácil de captar por parte del público, y la técnica a menudo es utilizada para lograr efectos de comedia. Se puede utilizar toda una gama de interacciones: acuerdo, desacuerdo, interrupción, pregunta y respuesta, contradicción, y estas varias respuestas pueden producir consecuencias narrativas o dramáticas, o bien permanecer en el campo de lo abstracto.

llamada y respuesta Este es un tipo de Diálogo en el que una de las bailarinas hace una declaración y luego recibe una respuesta. La respuesta a menudo proviene de un grupo de bailarinas, y este formato puede tener connotaciones vinculadas a encuentros políticos o religiosos.

pelea La Pelea puede tomar la forma de algún tipo de combate estilizado, o bien de una lucha realista. La segunda opción es uno de los tipos más sobreutilizados e inefectivos de interacción en danza. El problema principal es que es poco convincente, ya que el público es demasiado consciente de que las bailarinas no se harán daño entre sí, y en segundo lugar, el realismo impide cualquier tipo de claridad coreográfica. En cambio, el combate estilizado puede utilizar una amplia gama de técnicas coreográficas y, dado que la pelea no intenta ser realista (por ejemplo, puede que las bailarinas ni siquiera se toquen unas a otras), los movimientos pueden ser mucho más violentos y la agresión mucho más expresiva.

encuentro romántico Un poco como sucede con la Pelea, el Encuentro Romántico puede ser estilizado o más realista. Aquí, nuevamente vemos que la versión estilizada (una vez más, una estilización sin contacto funciona bien), ofrece muchas más posibilidades y un rango de expresión más amplio.

encuentro dramático Además de los tan comunes encuentros romántico y de conflicto que acabamos de discutir, puede haber muchas razones narrativas para que las bailarinas interactúen unas con otras, por ejemplo, políticas, filosóficas, humorísticas, etc. Como dijimos previamente, establecer ideas complejas en danza es muy difícil, y tales encuentros usualmente necesitan ser indicados mediante la introducción de algún tipo de Texto, ya sea en tiempo real o en una nota de programa y, para que sean efectivos, los encuentros casi siempre tendrán que ser estilizados.

movimiento conjunto Aquí, dos o más bailarinas están en contacto y entonces se mueven más o menos como una única entidad. La forma más común de esto tiene lugar en las danzas sociales, como por ejemplo en el vals o el tango, etc., donde, al comienzo, las bailarinas se abrazan tomándose de las manos y brazos, y luego siguen los movimientos de la otra. No obstante, no es necesario que sean solo las manos o brazos los que se unan; en efecto, cualquier parte del cuerpo puede funcionar, por ejemplo, la frente, la espalda, los labios, el cuerpo entero, etc., y las bailarinas no necesitan permanecer en posición vertical sino que pueden utilizar casi cualquier movimiento que les permita mantener el contacto. Nuevamente, esto típicamente funciona mejor con dos bailarinas pero puede resultar interesante con más bailarinas (en la danza social, podemos considerar el ejemplo de la conga) o incluso con grupos muy grandes.

anidación Esto es un poco parecido al movimiento conjunto pero a distancia, y generalmente involucra a la totalidad del cuerpo, el cual en cierto modo envuelve al cuerpo de otra bailarina. Esto también puede ser realizado por una línea de bailarinas.

asistencia Esto es cuando una o más bailarinas ayudan a otra a hacer algo que sería difícil o quizás imposible de hacer por su propia cuenta. Si la bailarina que hace de soporte meramente ayuda a la otra bailarina en un modo práctico y de sostén, podríamos pensar en esto como una oportunidad desperdiciada e incluso mencionarlo como un ejemplo de Danza de Prosa. Al contrario, en la Danza Poética, la bailarina que hace de soporte, mientras que ejecuta esa función, estaría también comprometida en la acción, y sus posiciones y transiciones contribuirían a la geometría, al drama y a la forma de la coreografía.

10 unísono

El Unísono es la práctica de hacer que un grupo de bailarinas realice los mismos movimientos en forma simultánea y es una de las herramientas coreográficas más poderosas, cumpliendo muchas funciones. En general, amplifica los movimientos. Por ejemplo, un solo que podría parecer insignificante en un teatro grande, al ser replicado al unísono por un coro de bailarinas, puede volverse de gran escala. Una segunda función primordial del unísono es la de dar a entender que los movimientos están de hecho coreografiados. Los movimientos 'no dancísticos', como por ejemplo, los movimientos pedestres, se vuelven claramente estructurados e integrados cuando son ejecutados simultáneamente al unísono por un grupo grande de bailarinas.

El Unísono también es extremadamente útil en términos dramáticos, mediante el mismo se puede crear un grupo, posiblemente en contra de un individuo, etc. Por último, simplemente debe decirse que hay algo inherentemente placentero en observar a un grupo de personas haciendo una misma cosa en simultáneo (como puede verse, irónicamente, en los desfiles militares).

humanización En gran parte de este libro, he demostrado abiertamente mi preferencia por la humanización de las bailarinas (reconociendo al mismo tiempo que, en ciertos contextos, puede que se requiera un estilo de movimiento más robótico, despersonalizado y mecánico), sobre la base de que casi todos los movimientos son más interesantes cuando son ejecutados por bailarinas con las cuales podamos identificarnos y empatizar. Podría parecer extraño, entonces, ver mi entusiasmo por el movimiento al Unísono, cuando este, con toda seguridad, despersonaliza a las bailarinas. Mi argumento (que también he discutido en el Capítulo 15 del libro *Anarchic Dance*), es que el rigor del unísono estricto en realidad enfatiza las diferencias entre bailarinas y, en efecto, resalta la individualidad y personalidad de cada una de ellas.

sincronización La pregunta es, ¿cómo logramos que un grupo grande de bailarinas sincronice sus movimientos a la perfección? La solución más común es utilizar una banda sonora musical, donde las Transiciones y Posiciones Clave estén sincronizadas con pies musicales. No obstante, cabe decir que en las secuencias de unísono más efectivas, no es solo el tiempo de los movimientos lo que necesita ser idéntico, sino también sus calidades dinámicas, y la solución para alcanzar esa precisión es una enorme cantidad de ensayo detallado y meticuloso. En ausencia de una guía sonora, la forma estándar de sincronizar a un grupo es hacer que estén dentro del campo visual unas de otras o, en su defecto, que todas puedan ver a una bailarina líder, a quien seguirán con precisión. No obstante, puede ser intrigante para el público ver a bailarinas que no están haciendo contacto visual ni tienen pies sonoros obvios, tales como la música, realizando un unísono preciso, en tanto parecerá que las bailarinas están conectadas casi telepáticamente. Esto típicamente se realiza utilizando pies sonoros imperceptibles (para el público) que pueden provenir de los movimientos o ser deliberadamente generados (por ejemplo, mediante la respiración), junto con ensayo aún más intensivo. También entran en esta categoría los movimientos al unísono marcados por Ritmos Ocultos, a los que el público no puede seguir.

canon El Canon es un tipo de Unísono, con una o más bailarinas realizando los mismos movimientos, pero con un desplazamiento temporal. Una bailarina (o un grupo de bailarinas) da inicio al material y luego, supongamos, después de cuatro tiempos, una segunda bailarina (o grupo de bailarinas) ejecuta el mismo material que la primera ejecutó; mientras tanto, la primera bailarina está ahora ejecutando algo distinto, lo cual será repetido cuatro tiempos más tarde por la segunda. Para los cánones que involucren a tres o más grupos, el tercer grupo simplemente comienza la misma cantidad de tiempo después que el segundo. Esta forma se relaciona con la Ronda, que puede ser vista en muchas canciones infantiles (como por ejemplo *Fray Santiago* o *Rema Rema Rema tu Bote*). La Ronda es una forma particular de Canon, donde la última frase de la secuencia puede superponerse con el comienzo, de modo que la totalidad puede repetirse continuamente en *loop* durante el tiempo que se desee, y de allí proviene su nombre Ronda.

Los Cánones en danza no suelen tener el formato de Ronda, sino que continúan añadiendo nuevo material hasta el final. Un concepto importante a la hora de crear un canon de danza es considerar la relación entre los movimientos que coinciden. En los cánones musicales, las dos o más partes generalmente interactúan siguiendo las reglas de la armonía, las cuales no son realmente relevantes para la danza. Pero, lo que comúnmente se puede ver (como en *Fray Santiago*), es una especie de seguimiento espacial de una parte por la otra, formado por una Secuencia, y esto también puede ser usado muy efectivamente en cánones de danza. Para más ideas acerca de la relación entre las bailarinas, se sugiere ver la sección Contrapunto en el capítulo Estructuras.

canon próximo En la mayoría de los cánones la segunda parte copia a la primera después de cierto tiempo, usualmente alrededor de ocho tiempos o más, entonces el público tiene tiempo para internalizar el patrón y verlo reaparecer. En el Canon Próximo, las repeticiones comienzan mucho antes, incluso tan pronto como un tiempo después. Un aspecto emocionante del canon próximo es que si la primera bailarina hace cualquier repetición de una transición con una duración igual a la del *delay* entre las bailarinas, el canon se moverá entrando y saliendo del unísono. El Unísono de Ola podría ser considerado como un tipo muy especializado de Canon Próximo super veloz.

fuga Además del Canon, otro tipo musical contrapuntístico ocasionalmente aparece en la danza – la Fuga. Una fuga es un tipo de pieza que comienza con un tema que entra secuencialmente en dos o más voces, y luego esa melodía reaparece a lo largo de la obra. En cierto sentido, una Fuga no es realmente una estructura, sino más bien una textura, y en términos de danza, puede ser mejor reservarla para aquellas obras que efectivamente utilicen una fuga musical como acompañamiento. En ese caso, se pueden seguir las líneas musicales y algún Patrón de movimiento puede vincularse al tema central.

desfase El Desfase (*Phasing*) es un tipo de híbrido entre unísono/canon, tomado de ciertas prácticas musicales minimalistas. Aquí, el unísono comienza con dos o más bailarinas que en un principio están sincronizadas y que luego gradualmente se van desfasando cada vez más entre sí (como en un Canon). Esto funciona mejor con movimientos que tengan patrones repetitivos simples. Hay dos tipos de desfase, el Desfase Gradual, donde la pérdida de sincronización entre los dos movimientos es muy lenta y al principio imperceptible (como en la pieza musical de Steve Reich *Come out*), y en segundo lugar, el Desfase Escalonado, donde después de cierta cantidad de tiempo, hay un salto abrupto dado por la pérdida de un tiempo o fracción de un tiempo (como en la pieza de Reich titulada *Clapping Music*). Ambos tipos de desfase frecuentemente pueden continuar hasta el punto en el que las frases de unísono llegan a estar tan fuera de tiempo que empiezan nuevamente a juntarse, finalmente terminando otra vez en unísono. La compleción del ciclo puede ser placentera. El desfase de danza puro (es decir, sin música) es difícil de ejecutar, especialmente el Desfase Gradual, y por eso en la mayoría de los casos en la danza esto sucede acompañado de una pieza de música que también utilice la técnica de *Phasing*, como las obras de Reich antes mencionadas. En esos casos, las bailarinas pueden simplemente seguir las líneas divergentes en la música.

unísono de contraste Como dijimos en el párrafo sobre Humanización, el Unísono puede, irónicamente, enfatizar las diferencias entre las bailarinas. Esto es llevado a un extremo en el Unísono de Contraste, en el que dos o más bailarinas muy distintas entre sí danzan juntas, por ejemplo, contrastantes en edad, altura, etc., o incluso en habilidad, por ejemplo, una bailarina entrenada y una no entrenada. Algunos ejemplos muy extremos de esto involucran a bailarinas danzando al Unísono con bebés o incluso con animales, donde obviamente la bailarina es quien sigue los movimientos del otro.

unísono de ola En una línea de bailarinas sin pies musicales, donde las bailarinas no pueden ver a todas las demás, sino quizás solo a la bailarina que tienen al lado, es un desafío ejecutar un unísono con precisión. Lo que es posible es que una bailarina en el extremo de la línea haga un movimiento, y la bailarina que se encuentra a su lado haga el mismo movimiento tan rápidamente como sea posible, y así sucesivamente. Esto propaga una ola de movimientos a lo largo de la línea y puede ser muy placentero de ver. Además, es posible que la primera bailarina inicie otros movimientos antes de que la ola haya atravesado a todo el grupo, entonces podemos tener una serie de dos o más olas moviéndose a través de la línea al mismo tiempo.

unísono solista Esto puede parecer una contradicción en términos de que una única bailarina pueda danzar al unísono, pero si consideramos a distintas partes del cuerpo de forma individual (por ejemplo, la mano derecha y la cabeza), entonces esas partes individuales efectivamente pueden moverse al unísono, por ejemplo, girando, torciéndose, rotando, etc., al mismo tiempo.

unísono rítmico Aquí, dos o más bailarinas están ejecutando Transiciones diferentes pero dentro del mismo marco rítmico. Esto comúnmente es utilizado para dar a la coreografía una impronta maquínica, como un mecanismo de relojería con las bailarinas actuando como los engranajes individuales. No obstante, los movimientos pueden ser más líricos y aquí, la estructura rítmica que unifica es a menudo contundente sin ser dominante.

unísono en espejo En el unísono normal, las bailarinas respetan la simetría izquierda/derecha – es decir, si se mueve un pie izquierdo, todas mueven el pie izquierdo. Sin embargo, en el Unísono en Espejo, la mitad de las bailarinas (frecuentemente solo dos bailarinas ejecutan el Unísono en Espejo), mueve el pie izquierdo hacia la derecha, y la otra mitad mueve el pie derecho hacia la izquierda – como si fueran reflejos en un espejo. A veces, la danza incluso imagina que realmente hay un espejo allí, como en la divertida *Escena del Espejo* de la película *Duck Soup* de los Hermanos Marx. El Unísono en Espejo puede ser ejecutado por las bailarinas dispuestas en una línea, de frente al público, donde el espejado produce efectos simétricos, pero también en muchas otras disposiciones espaciales.

unísono en espejo invertido Esto ocurre en muchas danzas sociales, tales como el vals. Aquí, los pies de las bailarinas se mueven al unísono en espejo, es decir, si el pie izquierdo da un paso, entonces el pie derecho de la compañera da un paso; si el pie izquierdo cruza, el pie derecho cruza. No obstante, la dirección hacia adelante/atrás del movimiento de los pies se invierte, lo que permite que la pareja se desplace.

alternancia de unísono Esta práctica consiste en cambiar muy repentinamente de una sección en la que la danza no es al unísono a una sección al unísono, o viceversa. La obra puede incluso hacer estos saltos repentinos varias veces, alternando entre los dos estados. Esto puede tener un efecto muy dramático y, para maximizarlo, es mejor que las secciones que no son al unísono sean muy diversas (posiblemente incluso de aspecto aleatorio), y que las secciones al unísono sean muy precisas. El efecto es un poco como moverse del caos al orden, o viceversa, y también puede tener implicancias dramáticas o narrativas. La técnica, además, tiene el efecto de llevar la atención del público a las cualidades de las secciones contrastantes, es decir, la aleatoriedad y el orden.

unísono difuso Típicamente, el Unísono es realizado con mucha precisión, con las bailarinas coincidiendo muy cuidadosamente en dinámicas y posicionamiento de partes del cuerpo, de modo que sean exactamente iguales. Sin embargo, en el Unísono Difuso, esta precisión militar se relaja, a veces hasta el punto de que los movimientos parecen estar meramente compartiendo una cierta homogeneidad. Dado que el unísono preciso es tan difícil de lograr, la coreógrafa debe tener la precaución de no caer en una situación en la que el público perciba al Unísono Difuso como algo que simplemente luce como un intento de unísono preciso mal ejecutado o poco ensayado.

coro Aquí tenemos a un grupo de bailarinas trabajando al unísono y actuando como una especie de cuerpo colectivo, usualmente enfrentadas contra una bailarina solista o pequeños grupos de bailarinas. La práctica data del antiguo Teatro Griego, donde el coro puede proveer una suerte de comentario sobre las acciones de las otras bailarinas. El coro también puede funcionar como una especie de población general o incluso como un sustituto del público mismo.

11 improvisación

El concepto de improvisación en danza es muy complejo. Deberíamos diferenciar inmediatamente entre la improvisación inventiva en el estudio, como un medio para crear y desarrollar material coreográfico, y la práctica de la improvisación en vivo, en el escenario y frente a un público.

improvisación inventiva Esta puede ser una herramienta muy útil para crear coreografía en la sala de ensayo, pero su uso debería ser cuidadosamente monitoreado, dado que puede conducir a algunas malas prácticas. Esencialmente, el coreógrafo o el bailarín se mueven libremente hasta que, por azar, se encuentran con Posiciones Clave, Transiciones o Patrones interesantes. Esto frecuentemente se realiza con algún estímulo musical o con algún escenario dramático sugerido, o alguna emoción, o ambos. Algunos coreógrafos usan esta técnica como su principal (y en algunos casos único) método de creación.

Algunos de los peligros de esta práctica son los siguientes: en primer lugar, cuando se pide a los bailarines que se muevan libremente, ellos recurren a movimientos provenientes de su entrenamiento o de obras previas, a lo que les resulta cómodo y a lo que les permite exhibir sus habilidades especiales. Cualquier cosa que se construya a partir de este conjunto de posibilidades probablemente lucirá igual que los cientos de otras obras realizadas del mismo modo. En segundo lugar, existe el riesgo de que la obra resultante sea poco consistente y carezca de un sentido general de significado y estructura. En tercer lugar, cuando las bailarinas son genuinamente innovadoras existe la posibilidad de que su contribución a la coreografía no sea enteramente reconocida. Incluso cuando los créditos incluyen al coreógrafo X con la asistencia de las bailarinas de la compañía Y, las bailarinas involucradas rara vez son nombradas individualmente, y sus contribuciones individuales son pronto olvidadas.

También debería mencionarse que a la mayoría de las bailarinas no les gusta esta coreografía de tipo *'Pick N Mix'* (*'Escoge y Combina'*), tal como ellas a veces la nombran. Son artistas profesionales que valoran en gran medida su tiempo y que exhalan un suspiro de alivio cuando una coreógrafa entra a la sala con ideas concretas y les dice exactamente qué hacer.

No obstante, como dijimos inicialmente, la Improvisación Inventiva puede ser una herramienta valiosa dentro del arsenal de la coreógrafa, pero son necesarias algunas salvaguardias contra los ya mencionados peligros. En primer lugar, la coreógrafa debería entrar a la situación con ideas y limitaciones claras y constructivas que sean relevantes para la obra y que saquen a las bailarinas de su zona de confort. En segundo lugar, cualquier material generado debe ser exhaustivamente reelaborado para producir estructuras coherentes, es decir, el material creado debería ser usado únicamente como punto de partida inspirador. En tercer lugar, toda bailarina que realice una contribución significativa debe ser completamente reconocida en los créditos, individualmente y por su nombre.

improvisación en vivo Mientras que la Improvisación Inventiva puede ser una herramienta invaluable para la coreógrafa, la Improvisación en Vivo en el escenario plantea muchos otros problemas. Uno de estos tiene que ver con el hecho de que la improvisación pura, ya sea en danza o en música, es prácticamente imposible. El performer siempre se enfrenta a un número limitado de elecciones y, a través del entrenamiento y la práctica, ha desarrollado una serie de patrones a los que recurrirá (incluso cuando estos sean alterados por intervenciones específicas de las cuales hablaremos). Sumado a esto, debería recordarse que la improvisación no puede ser grabada; por ello, cualquier registro de lo que pueda haber sido una improvisación, al ser filmado, ya no es una improvisación sino una composición o coreografía.

Una segunda preocupación tiene que ver con el respeto por el público y su valioso tiempo. Debe decirse que, frecuentemente, la así llamada improvisación en vivo es utilizada como una especie de atajo para eludir la coreografía detallada, el aprendizaje y el ensayo. Esto a menudo sucede bajo el pretexto de que el público recibirá una *'experiencia única, que nunca volverá a repetirse'* cuando, lo que sucede muy a menudo es que reciben una performance que, en realidad, es muy similar a un centenar de otras así llamadas obras de improvisación que ya han visto muchas veces.

Habiendo dicho todo esto, hay, sin embargo, niveles de cierto tipo de libertad de improvisación que son útiles en el escenario y examinaremos aquí algunos de ellos.

redundancia Cuando se está coreografiando a una bailarina, el foco a menudo está en un aspecto específico del cuerpo, por ejemplo las manos y el rostro, o quizás las piernas y pies en, supongamos, una rutina de tap. En este caso, cuando el foco de la bailarina (y presumiblemente también del público) está en esa parte del cuerpo, entonces lo que sucede en el resto del cuerpo puede quedar librado al azar. Esta libertad permite a la bailarina concentrarse en el foco principal de la coreografía sin tener que preocuparse por aprender información adicional.

De hecho, la libertad de las Posiciones Clave y Transiciones Redundantes puede ayudar a la bailarina a realizar los movimientos coreografiados. Por ejemplo, en el caso de la bailarina de tap, los movimientos libres de brazos pueden facilitar el juego rápido de pies. No obstante, siempre vale la pena comprobar si especificar estas partes no importantes puede en efecto mejorar la performance.

libertades controladas Puede haber ocasiones en que la coreógrafa desee dar, o tenga que dar, ciertas libertades a las bailarinas. Esto podría ser una extensión de la Redundancia a las otras bailarinas, por ejemplo, cuando está sucediendo un solo y las otras bailarinas están observando. Aquí, no obstante, en lugar de simplemente decir *'Todo Vale'*, la coreógrafa debería establecer límites estrictos, y el sinfín de posibilidades dentro de estos debería ser rigurosamente explorado en ensayos para asegurarse de que todas las alternativas sean satisfactorias. Frecuentemente las Libertades Controladas requieren de más ensayo que la coreografía estricta. Una herramienta útil cuando se utiliza esta técnica es ver varias performances y evaluar si todas son esencialmente la misma obra.

fuerzas externas Hay ocasiones en que las bailarinas están involucradas con elementos externos que pueden reaccionar de un modo impredecible y por ello demandan ciertas libertades para que la bailarina pueda afrontar las situaciones que se presenten. Esto puede ocurrir especialmente en performances de Sitio Específico, donde se pueden encontrar todo tipo de objetos y problemas – sobre todo intervenciones del público. La habilidad para lidiar con estas fuerzas impredecibles puede conducir a cierta espontaneidad y humor agradables, aunque, en cierto modo, tales reacciones espontáneas necesitan, una vez más, de mucho ensayo, previsión y experiencia en relación a las situaciones para resultar efectivas.

exhibición de improvisación Esto implica la presentación de improvisación como una especie de proeza virtuosa y puede ser visto en otras formas de arte, por ejemplo en la música clásica o en la comedia de *stand up*.

En esos casos, para probar que la performer está realmente improvisando, es necesario darle, a último momento, alguna información de la que no tenga ningún conocimiento previo (por ejemplo un tema musical o alguna temática) sobre la cual basar su improvisación.

contact improvisación El Contact Improvisación es un tipo de improvisación que, como su nombre sugiere, se centra en las relaciones entre cuerpos con particular referencia al sostén, el peso, la gravedad, el equilibrio, es decir, el modo en que los cuerpos funcionan. Como la Improvisación en general, esta práctica puede ser una herramienta invaluable para la coreógrafa (y para las bailarinas) para experimentar, formar vínculos de trabajo y generar nuevas ideas. No obstante, tal como sucede con la Improvisación en general, su uso en performances en vivo está plagado de los mismos peligros, es decir, bailarines recurriendo a movimientos y posiciones ya conocidos y probados, y una falta general de forma estructural y de propósito (en otras palabras, Danza de Prosa). Además de eso, muchas técnicas y procesos del contact improvisación son inherentemente satisfactorios de practicar (como se evidencia a través de sus grandes beneficios en terapia y entrenamiento) pero puede que no sean tan gratificantes de ver para el público.

improvisación explícita Como ya hemos visto, es difícil marcar una línea entre lo que es improvisado y lo que es preaprendido. En obras en las que la idea de la Improvisación en sí misma es una característica, y deseamos dar al público la impresión de espontaneidad y falta de control, puede ser que estos elementos sean mejor transmitidos por medio de la coreografía estricta y el ensayo riguroso. Así como el actor que interpreta una escena de ebriedad no se beneficia de estar realmente ebrio en el escenario, la bailarina que desea dar la impresión de improvisación se beneficia más de que sus movimientos no sean improvisados sino rigurosamente coreografiados.

attraverso i muri di bruma

12 ubicación/desplazamiento

La ubicación y desplazamiento de las bailarinas en el espacio forma parte de la coreografía y es importante tanto por factores visuales como posiblemente narrativos. Un problema inmediato es que desde las diversas perspectivas de distintos miembros del público (por ejemplo una persona sentada en el extremo izquierdo o en un palco), las relaciones espaciales de las bailarinas entre sí pueden lucir diferentes. Otra cuestión es la visibilidad de las bailarinas – nada es más frustrante para el público que no poder ver lo que está sucediendo. Aunque algunas técnicas (por ejemplo, la Aglomeración) utilizan el encubrimiento de las bailarinas, en general, una buena ubicación asegurará la buena visibilidad de todas las bailarinas para todo el público.

línea En una línea, las bailarinas están distribuidas en el escenario de izquierda a derecha (como en una investigación criminal cuando los sospechosos son observados por la víctima). La gran ventaja de la línea es que todas las bailarinas pueden ser vistas con claridad, y funciona excepcionalmente bien para el movimiento al Unísono y también para el Unísono de Ola. El hecho de que las bailarinas no puedan verse unas a otras implica que deben utilizar pies externos, usualmente dados por la música, pero este hecho hace al Unísono más impresionante. La desventaja es que la Línea puede lucir un poco cliché y artificialmente montada en algunos contextos.

matriz Esta disposición es un poco como una línea tridimensional, donde las bailarinas se encuentran en una serie de filas, como si estuvieran en las intersecciones de las líneas en una cuadrícula. Del mismo modo que la línea, esta formación tiene excelente potencial para el movimiento al unísono, con el beneficio de que las bailarinas tienen más espacio, y la tridimensionalidad brinda una imagen visual más rica.

fila Aquí las bailarinas están alineadas una detrás de la otra de modo tal que, desde el frente, solo se puede ver a la bailarina más cercana. Obviamente, si todas las demás bailarinas permanecen ocultas, bien podrían no estar ahí, por lo cual la coreografía típicamente implica que se vayan revelando de algún modo (véase el video pop *What's a Girl to Do*, de Bat for Lashes). Una forma muy común de revelarse es la extensión de brazos a diferentes alturas para generar la ilusión de una persona que tiene muchos brazos (similar a la diosa hinduista Durga). Si bien esto puede parecer impresionante, ha sido usado con tanta frecuencia que es un poco un cliché. Por otro lado, la Fila solo es convincente cuando es vista directamente desde el frente, por lo que generalmente luce mejor en films o en fotografía que para un público en vivo, gran parte del cual perderá el efecto.

línea diagonal A medio camino entre la Línea y la Fila tenemos a la línea diagonal, en la que las bailarinas se encuentran ubicadas una detrás de la otra pero gradualmente desplazadas hacia el lateral. La Línea Diagonal presenta muchas ventajas por sobre la Línea. Las bailarinas tienen más espacio a cada lado, entonces pueden extender sus brazos o incluso moverse hacia los laterales. En general, también nos permite que haya más bailarinas visibles sobre el escenario, y las bailarinas tienen más conciencia de las otras, lo que colabora con la sincronización en unísonos, etc. Además, la diagonal puede producir algunos efectos visuales emocionantes, especialmente combinada con Transiciones Geométricas.

semicírculo Esta es una disposición valiosa en tanto que permite a las bailarinas tener buen contacto visual, por ejemplo para el trabajo de unísono, sin taparse unas a otras. Como sucede con las otras configuraciones que acabamos de discutir, el Semicírculo puede realzar las posibilidades geométricas, por ejemplo si las bailarinas colocan sus manos hacia adelante en flexión, las manos formarán un semicírculo más pequeño dentro del más grande. Esta disposición también puede resultar útil para hacer foco en una performance central de solo o dúo, con el semicírculo de bailarinas proporcionando un público secundario.

distribución aleatoria Aquí la intención es que las bailarinas se encuentren dispersadas por el escenario en lo que aparenta ser una disposición espacial sin intención (es decir, sin líneas ni formaciones geométricas). No hace falta decir que una de las formas menos convincentes de lograr esto es decir a las bailarinas 'simplemente párense en cualquier lugar'. Esto resultará en una ubicación completamente no aleatoria. La ubicación de una Distribución Aleatoria requiere tanto cuidado como cualquiera de las otras formaciones discutidas aquí y no debería dejarse librada al azar.

aglomeración Aquí las bailarinas no están uniformemente espaciadas sino muy juntas, quizás incluso tocándose unas con otras. La Aglomeración puede tener usos narrativos o dramáticos y también puede moverse de modos particulares, especialmente si las bailarinas están en contacto cercano, es decir, una especie de movimiento conjunto múltiple.

bandada Tal como sugiere la analogía con un grupo de pájaros, un grupo de bailarinas (a veces incluso una Aglomeración) se mueve por el escenario, manteniendo su relación espacial unas con otras, y este puede ser un modo potente de amplificar movimientos.

en el escenario/fuera del escenario Cuando se trata de solos o dúos, es muy común tener a la(s) bailarina(s) en el escenario durante toda la obra. Con un número mayor de bailarinas, especialmente grupos muy grandes (por ejemplo 20 bailarinas), surge la pregunta acerca de dónde ubicarlas cuando no están bailando. Una solución común es simplemente hacer que todas las bailarinas permanezcan en el escenario todo el tiempo. Cuando suceden solos o dúos, las otras bailarinas simplemente observan desde atrás o desde los laterales, convirtiéndose en una especie de segundo público. Esto puede funcionar bien pero tiende a disminuir el foco en las performances individuales, etc., y no suele ser apropiado para obras de una naturaleza más narrativa. Hacer que las bailarinas entren y salgan del escenario de un modo natural y que no genere distracciones es bastante difícil, y veremos algunas opciones en los siguientes apartados.

gestión de ubicación El arte (y puede ser un arte) de establecer las diversas posiciones de las bailarinas puede ser complicado – especialmente con grupos muy grandes, y las siguientes son algunas estrategias para ayudar con este problema.

ubicación coreografiada Aquí la coreógrafa incluye los traslados de las bailarinas en el espacio como parte de la coreografía, entonces si la sección siguiente requiere una línea diagonal, la coreografía de la sección previa realiza alguna maniobra para ubicarlas en esa posición. Se puede ver una clase magistral sobre esta técnica en el ballet *Las Bodas*, de Nijinska.

distracción Esta es la técnica (un poco como el juego de manos de un mago cuando está realizando un truco) de llevar la atención del público hacia algún elemento alejado de las bailarinas mientras ellas se reubican. Esto, si es realizado discretamente y con la ayuda de una buena iluminación, puede funcionar bien.

ubicación pedestre Aquí las bailarinas adoptan su posición de un modo práctico, caminando normalmente hacia el lugar en el que necesitan estar. Una vez que están en posición, pueden Alternar de vuelta al modo danza, lo cual puede ser efectivo en sí mismo.

apagón Un modo de disimular la organización de disposiciones espaciales es apagar las luces. Una vez que las bailarinas están en su lugar, la escena vuelve a ser iluminada y la obra continúa. Esto funciona para algunos tipos de obra pero puede resultar disruptivo para el flujo de la pieza.

desplazamiento Muchas ideas coreográficas tales como pasos, saltos, avances, etc., mueven a la bailarina por el escenario. Además de la intención puramente coreográfica, este Desplazamiento puede ser importante para otros propósitos – por ejemplo, para ubicar a las bailarinas en posiciones apropiadas, como parte de una idea dramática o narrativa, para lograr efectos visuales, como parte de la dinámica de la obra. Algunos coreógrafos, especialmente cuando se trata de solos o dúos en un escenario grande, sienten una necesidad de *'llenar el espacio'* y entonces tienen una compulsión a hacer que las bailarinas se desplacen. No obstante, advertiríamos que una única bailarina en un espacio grande permaneciendo en el mismo lugar puede presentar una imagen potente y que el desplazamiento gratuito de las bailarinas sin ningún otro propósito suele ser contraproducente (ver Correr en Círculos Alrededor del Escenario).

movimiento izquierda/derecha La coreógrafa debería ser consciente de que el movimiento de las bailarinas desde la izquierda hacia la derecha genera una sensación diferente que el movimiento de las bailarinas desde la derecha hacia la izquierda. Esto puede deberse a que leemos en una dirección específica (en la mayor parte del mundo de izquierda a derecha pero en el mundo árabe de derecha a izquierda), entonces el movimiento en este sentido de lectura tiene un flujo natural, mientras que el movimiento en la dirección opuesta parece estar moviéndose contra una fuerza de resistencia. Ambas opciones pueden ser apropiadas en diversas situaciones. Cabe señalar que en un escenario limitado, las bailarinas solo pueden moverse en una dirección particular por una cierta cantidad de tiempo antes de tener que moverse en la dirección opuesta (esto no aplica a la danza en film ni a la danza de sitio específico), pero hay formas de contrarrestar este problema. Esto usualmente se logra haciendo que el movimiento de regreso tenga un estilo diferente (por ejemplo, movimiento pedestre). Si la coreógrafa no está segura de cómo afecta la dirección de movimiento a una escena, siempre es útil intentar invertir la dirección para ver si esta última es más apropiada y se ajusta mejor al tono de la obra.

movimiento hacia atrás/hacia adelante Una vez más, los movimientos de las bailarinas, ya sea hacia atrás o hacia adelante, tienen un impacto sustancial en el clima emocional de la sección. Las bailarinas moviéndose hacia adelante, es decir, hacia el público, construyen tensión y esto puede ser agresivo y generar un clímax, mientras que las bailarinas alejándose del público pueden evocar ideas de resignación y pérdida de potencia.

movimiento atlético Como parte de su entrenamiento, para ganar control sobre sus cuerpos y ser capaces de ejecutar cualquier movimiento que la coreógrafa necesite, las bailarinas a menudo desarrollan habilidades atléticas asombrosas que les permiten girar, saltar, contorsionar el cuerpo, etc. Para el público, existe cierta emoción visceral en ver al cuerpo humano en el punto máximo de sus límites performáticos (como puede verse en la popularidad de los Juegos Olímpicos o del circo), y para la coreógrafa, existen beneficios en incorporar las posibilidades de la velocidad, la trayectoria vertical, las posiciones extremas, etc., en su repertorio. No obstante, hay algunas desventajas en esto. Principalmente, existe el comprensible deseo de demostrar esas proezas ganadas con tanto esfuerzo (tanto por parte del bailarín como del coreógrafo) en cada oportunidad posible, ya sea apropiado o no para la obra. Este uso gratuito del Movimiento Atlético, cuando está separado del contenido de la obra, será impresionante por cinco minutos, pero después de eso rápidamente se volverá repetitivo y aburrido, y esto puede ser visto como el epítome de la Danza de Prosa.

movimiento browniano Este es el Desplazamiento equivalente a la Distribución Aleatoria, donde las bailarinas se encuentran dispersadas por el escenario y moviéndose en direcciones diferentes y aleatorias. El término proviene del mundo científico, donde a nivel microscópico, las partículas de polvo son empujadas por el movimiento de las moléculas de gas en las cuales están suspendidas. Aquí también, en el mundo de la danza, las bailarinas en sus encuentros aleatorios frecuentemente interactúan de algún modo.

correr en círculos alrededor del escenario Un pecado generalizado específico de la danza contemporánea (no lo he visto en ninguna otra forma de danza) consiste en que los bailarines corran en círculos alrededor del escenario sin ninguna razón aparente. En este punto, aconsejaría a los miembros del público que vayan en busca de su buena amiga *Sortie*. Esto típicamente ocurre en algún punto bajo de la pieza donde el coreógrafo necesita inyectar algo de energía a la obra, pero, en lugar de componer algunos movimientos interesantes y relevantes, recurre a este equivalente de 'calorías vacías', que parecen satisfacer una necesidad, pero no tienen valor nutricional alguno. Este es otro ejemplo de lo que podríamos denominar Danza de Prosa.

13 texto

Hay una falta bastante sorprendente de uso de texto hablado en la danza. Si comparamos a la música, el texto y el movimiento en términos de cómo comunican, podemos ver que la música, en tanto muy efectiva para transmitir un rango vasto y sutil de emociones, es muy limitada para impartir información fáctica, por ejemplo, el rey decapita a la reina, o dos más dos es igual a cuatro. Incluso obras altamente narrativas, tales como *Symphonie Fantastique*, de Berlioz o *Till Eulenspiegel*, de Strauss, cuentan con que el público conozca de antemano la historia, que la música puede luego desarrollar. Sin esta narración previa, todo lo que podríamos saber de estas piezas sería que implican alguna historia peculiar en la que algo terrible sucede. Comparemos estos ejemplos con la densidad de información compleja que se puede transmitir utilizando texto, por ejemplo, el detalle contenido en, supongamos, *Hamlet*, de Shakespeare. Con su naturaleza complementaria, es natural que reunir música y texto en formas tales como la ópera, el melodrama, la música cinematográfica y la canción pueda ser tan poderoso.

El movimiento ocupa una posición intermedia entre el texto y la música. Es ligeramente más capaz de presentar información sin depender de un texto por medio del uso de alguna especie de mímica o gesto, pero también comparte con la música algo de su sutileza emocional. Parecería evidente que una síntesis de danza y texto podría ser tan poderosa como las combinaciones de música y texto de la ópera y la canción; sin embargo, esto sucede relativamente poco.

Hay algunas razones que los coreógrafos suelen atribuir a que esto suceda con tan poca frecuencia. Algunos dicen que están preservando una especie de *'pureza'* del movimiento que no debería necesitar ser *'explicado'* por medio de texto. Otros sostienen que la danza es una forma de arte significativa en sí misma, que no debería estar subordinada a otra, y que la danza es universal, mientras que una obra de teatro, por ejemplo, está limitada a un público que hable ese idioma. Además, a menudo se dice que las bailarinas no están entrenadas en actuación, que muchas no se sienten cómodas con la idea de hablar en escena, que no cuentan con la proyección vocal necesaria y que es técnicamente complicado combinar texto y movimiento. Si examinamos algunas de las opciones de texto disponibles para la coreógrafa, podemos comenzar a desarticular y quizás responder a estas preocupaciones.

programa de mano El programa de mano suele ser usado en obras de danza que poseen una estructura narrativa, especialmente en ballet. Aquí (como en el ejemplo musical de Berlioz), antes de la función, se le presenta al público una lista de los personajes que están a punto de ver y una lista de las acciones que están por desplegarse. ¡Esto es una abominación! En primer lugar, cualquier idea de sorpresa dramática en la obra se pierde; el público sabe cómo terminará la obra antes de que esta siquiera empiece. En el mundo del cine, se hacen grandes esfuerzos para evitar revelar detalles de la trama antes de que alguien vea el film, dado que estos *'spoilers'* hacen exactamente eso que la palabra sugiere, es decir, arruinan completamente la experiencia. En muchos casos, especialmente cuando se trata de obras dramáticas famosas, se podría argumentar que la mayor parte del público ya está familiarizada con la historia, por ejemplo, que Romeo y Julieta morirán, que la Bella Durmiente se despertará, etc. Pero eso sigue implicando negar la posibilidad de un primer visionado de cualquier obra. El programa de mano también aplana cualquier sentido dramático, y la obra se convierte en una especie de *checklist* de eventos que el público va tachando obedientemente. Además, no es posible establecer ningún vínculo específico entre el texto y los movimientos.

bailarina que habla La opción de hacer que las bailarinas hablen parecería ser una solución obvia a muchos problemas. Pueden desarrollar una trama (si esta existe), pueden explicar quiénes son sin recurrir a la mímica, pueden introducir ideas filosóficas, políticas, poéticas. Todo esto puede ser realizado en estrecha conjunción con movimientos que brinden dimensiones adicionales a lo que ellas están diciendo y viceversa.

La objeción de que las bailarinas no están entrenadas para hablar no es ingenua y forma parte de un círculo vicioso. Si la obra no existe, ¿por qué entrenarlas para hacerla? Si no pueden hacerla, ¿por qué hacer la obra? En algunas escuelas de danza en particular, en las que se rompe este ciclo y las bailarinas son entrenadas en texto hablado (la *Civica Scuola di Teatro Paolo Grassi* en Milán es un excelente ejemplo), lo que es notable es que las bailarinas, aun cuando no están utilizando texto, son más expresivas y también mejores bailarinas puras. Como vimos en el capítulo sobre Movimiento Pedestre, cualquier acción no dancística, especialmente cuando es realizada durante una secuencia de danza, puede hacer que la bailarina luzca más humana y sacar a relucir su personalidad. En este contexto, podemos considerar al habla como un tipo de actividad pedestre que permitirá que las personalidades de las bailarinas se destaquen y de este modo realzará sus movimientos (como se puede ver en gran parte de la obra de Pina Bausch).

También hemos discutido en el capítulo Ritmo el uso del Ritmo del Texto para controlar el ritmo y acento de los movimientos. La bailarina que habla tiene una oportunidad única de conjugar estos dos elementos expresivos, con cada uno influenciando y guiando al otro en el más sutil de los modos.

micrófono Ya hemos mencionado que la mayoría de las bailarinas no contará con la proyección vocal teatral necesaria para emitir texto en espacios grandes, pero esto se puede solucionar utilizando amplificación. La forma más simple es tener un micrófono en un pie al que la bailarina se aproxime cada vez que necesite impartir texto. Esto limita (aunque no enteramente) al movimiento mientras se está diciendo el texto; no obstante, se puede obtener más libertad de movimiento sosteniendo el micrófono mientras se habla. La presencia visual evidente de un micrófono puede ser parte de la naturaleza humanizadora del habla, dependiendo de la obra, pero, en una situación dramática más naturalista, podría resultar intrusivo. Aquí, la solución es utilizar un micrófono inalámbrico, posiblemente escondido, permitiendo a las bailarinas mucha más libertad de movimiento.

lip sync Es necesario mencionar que el uso de micrófonos inalámbricos en danza puede ser problemático, con problemas de acople cuando el micrófono se acerca demasiado a los altavoces, y ruido que genera el movimiento cuando el sonido de acciones de danza muy físicas es tomado por los micrófonos. Una solución a estos problemas es el uso de *Lip Sync*, donde el texto es pregrabado, y las bailarinas mueven sus labios a tiempo con la pista pregrabada para dar la ilusión de que realmente están hablando. Con ensayo cuidadoso, este efecto puede resultar muy convincente, al punto de que el público llegue a creer que la performer está hablando en vivo. Algunas ventajas adicionales de esta técnica son que reduce el nivel de demanda para la bailarina cuando está ejecutando secuencias de movimiento complicadas, y en segundo lugar, hace que la sincronización de eventos sea mucho más sencilla, por ejemplo, pies sonoros, subtítulos, efectos multimedia, etc.

Un beneficio extra es que aunque muy a menudo la bailarina se sincroniza con su propia voz, la coreógrafa tiene la opción de que quien hable sea otra persona. Esta otra voz podría ser más apropiada para la obra en términos de carácter, acento o idioma. Una forma particular de *lip sync* es el *lip sync* en vivo, donde una performer, usualmente ubicada a un costado del escenario, ya sea de modo visible o no, y con un micrófono, pronuncia el texto mientras que otra performer sincroniza sus labios con las palabras. Con ensayo, se puede desarrollar un tipo especial de comunicación bidireccional que es extremadamente convincente, y esta técnica puede evitar la rigidez de utilizar una pista grabada.

narradora en el escenario Un dispositivo fascinante disponible para la coreógrafa es el de la narradora en el escenario, quien actúa como intermediadora entre las performers y el público. Esta persona puede presentar a los personajes y describir los desarrollos de la trama, pero en tiempo real, de modo tal de no perder el elemento sorpresa, como sucede con el programa de mano. La narradora además puede agregar detalles personales, comentarios, etc., y su personaje también puede ser parte de la naturaleza de la performance, actuando, por ejemplo, como una especie de maestra de ceremonias e incluso interviniendo en la obra, o de hecho controlando los eventos.

voz en off La voz en off a menudo funciona de un modo similar al de la narradora, pero sin su presencia física, y es un dispositivo común en muchos largometrajes. Al igual que la narradora en el escenario, la voz en off puede desarrollar la trama así como introducir ideas y comentarios sobre la acción. Un aspecto beneficioso de la voz en off es que el texto puede ser regrabado en el idioma del país en que la obra esté siendo presentada, solucionando así la falta de universalidad que la danza que utiliza texto parecería tener. Otro aspecto de la voz en off es que puede ser usada para presentar los pensamientos internos de la bailarina, en contraste con el texto hablado.

texto escrito Una analogía visual de la voz en off es la proyección de texto escrito en el espacio. Esto es un poco más complicado que el texto audible, ya que el público está intentando hacer dos cosas al mismo tiempo – ver los movimientos de danza y a la vez leer las palabras. Sin embargo, esto puede funcionar sorprendentemente bien, especialmente en obras más experimentales, donde el texto puede ser parte del conjunto de la escena visual. El texto escrito muy a menudo toma la forma de subtítulos, donde hay bailarinas realmente hablando o bien voces en off.

poesía En estos ejemplos, hemos tendido hacia usos de texto más narrativos y dramáticos; no obstante, en este libro, nos gustaría abogar por un mayor uso de texto poético en danza, lo cual parece suceder muy poco. Hemos visto continuamente que, en muchos sentidos, hay grandes similitudes entre la poesía y la danza, por ejemplo, el uso de patrones, estructuras repetitivas, etc., y por lo tanto las dos pueden combinarse de un modo muy satisfactorio. La poesía recitada tiene una especie de musicalidad en términos de tono y ritmo pero, comparada con la mayoría de la música, es menos rígida y métrica, y esto puede complementar a muchos estilos de movimiento.

conflicto musical Un problema no mencionado es que mucha de la danza es acompañada por música, y si agregamos texto hablado, especialmente en vivo y sin amplificación, puede ser difícil entender lo que se está diciendo. Hay pocas cosas más irritantes que no poder comprender un texto en el teatro. En este caso, algún tipo de amplificación es esencial, y la inclusión de subtítulos o sobretítulos puede ser útil también. En el caso de textos pregrabados para *lip sync* o para voz en off, el equilibrio cuidadoso entre música y habla en el proceso de grabación puede aliviar estos problemas.

canción Un modo de incorporar texto a la danza es a través del uso de canciones, ya sea clásicas, populares o de jazz. Un problema aquí tiene que ver con encontrar un conjunto coherente de canciones que puedan componer un todo convincente en términos de narrativa o drama. Si las canciones son especialmente escritas para la obra, puede que esto no sea un problema.

ópera Muchas óperas poseen interludios de danza, ya sea escritos como parte de la historia o agregados, y estos tienden a ser ligeros y pictóricos, con la danza quedando sumergida en la fuerza del drama y de la música. Sin embargo, algunas producciones elevan los elementos de danza a un nivel mucho mayor, incluso poniendo a la par a cantantes y bailarinas (véase Híbrido de Teatro/Danza). Es posible utilizar una partitura de ópera con su texto y narrativa como banda sonora para danza, y cuando esta está grabada, la danza puede equilibrar las poderosas fuerzas del drama y de la música.

danza en film Con la danza en film, muchos de los problemas mencionados anteriormente se desvanecen. Los textos hablados se pueden captar de cerca con micrófonos o sobregrabar fácilmente, y el equilibrio sonoro con la música puede ser cuidadosamente considerado.

textos relacionados con la danza Un pequeño subconjunto de textos en danza involucra la autorreferencia, con el texto haciendo referencia específicamente a los movimientos de danza que están siendo presentados. Esto suele tomar la forma de instrucciones de danza, ya sea impartidas por un tercero (*'levanta tu pie izquierdo ahora'*) o por la bailarina misma describiendo lo que hace (*'aquí estoy, mirando inquisitivamente por encima de mi hombro izquier-*

do'), y esto a menudo puede ser usado para efectos humorísticos. También es apropiado para clarificar que los movimientos pedestres son deliberados y por lo tanto parte de la danza.

comedia La comedia y el humor son una gran parte de la vida, por lo que es un poco sorprendente que no aparezcan con más regularidad en la danza. Por supuesto, muchas obras de danza lidian con temas serios, y puede que el humor no sea apropiado; sin embargo, debería recordarse que en muchas obras de teatro y films, el uso de la comedia puede mejorar algunas experiencias desoladoras o tragedias. Un problema es que, sin la sutileza del texto, la danza queda a merced de esas viejas y conocidas bufonadas, la mímica y la pantomima, para la mayoría de los propósitos cómicos, y su efecto a menudo resulta torpe. Se puede introducir un humor más sutil a través del uso de incongruencias, por ejemplo involucrando movimiento pedestre y participación del público. No obstante, con la introducción de texto, y en particular, con la bailarina que habla, la coreógrafa puede aprovechar toda una gama de posibilidades cómicas que no son posibles solo con el movimiento.

lengua de signos El uso de signos con su tan expresivo vocabulario de movimiento parecería ser una forma ideal de introducir texto en la danza; no obstante, hay dos problemas evidentes. En primer lugar, la mayoría del público no entenderá el lenguaje, y en segundo lugar, interpretar texto mediante signos será limitante para los movimientos coreografiados. Para contrarrestar el primer problema, se pueden hacer obras que incluyan signos pero con un texto hablado en paralelo. En cuanto al segundo problema, los signos pueden ser desarticulados e intercalados con movimientos de danza más convencionales si se desea.

híbrido de teatro/danza Aquí hay una mixtura de bailarinas y actrices en el escenario, muy frecuentemente puestas a la par para el mismo rol. Esto es muy difícil de hacer de modo convincente, a menudo resultando en bailarinas que lucen deshumanizadas y actrices que lucen poco naturales.

Como se puede ver, muchos de los problemas con el texto en danza señalados al comienzo del capítulo pueden ser fácilmente solucionados con un poco de ingenio. En muchos casos, los elementos de movimiento se verán resaltados. Sostendría continuamente que cualquier artista que se proponga hacer una obra de arte debería considerar inicialmente su contenido y luego qué medios y técnicas son los mejores para presentar esas ideas.

retratos número 2

14 rostro/manos/hombros

En la vida cotidiana, las personas usan sus rostros y manos posiblemente como el principal modo de expresarse después del habla, por lo que tiene sentido dedicarles aquí un capítulo propio – también incluiremos en esta categoría a esas expresivas partes del cuerpo a menudo olvidadas, los hombros. Dos preguntas surgen inmediatamente – la primera tiene que ver con la legibilidad por parte del público, especialmente en espacios escénicos de gran escala donde a menudo es imposible para la mayor parte del público ver movimientos sutiles ya sea de las manos o del rostro. Esta limitación no es tan evidente en situaciones performáticas de pequeña escala o íntimas, y en el caso de la danza en film puede ser fácilmente solucionada con primeros planos. La segunda pregunta implica una distinción entre movimientos realmente coreografiados y expresiones más generales de varios tipos. Intentaremos abordar estas dos cuestiones por separado, aunque a menudo se superponen.

rostro coreografiado Esto implica coreografiar al rostro siguiendo el mismo criterio que con el resto del cuerpo, utilizando Posiciones Clave y Transiciones, y esto constituye una parte integral en algunas formas de danza de la India. Aunque a primera vista podría parecer que las posibilidades se limitan a los elementos más obvios, ojos o boca, abiertos o cerrados, mirando hacia la izquierda o hacia la derecha; un análisis más detallado revela que el rostro es exquisitamente maleable, y que casi cada una de sus partes puede moverse de forma independiente o en coordinación con otras partes. Un problema con el rostro coreografiado es que, dado que el rostro es una característica expresiva tan esencial del cuerpo humano, los movimientos detallados de parte del rostro no son vistos como abstractos, y por eso los movimientos pueden deslizarse hacia el reino de la expresión (lo cual puede ser un efecto deseado).

rostro expresivo Aun cuando el rostro no esté específicamente coreografiado, se debe considerar la expresión de la bailarina. Muchas veces, el coreógrafo abdica de esta responsabilidad, por ejemplo, en el caso de la sonrisa ubicua en el ballet, o la expresión de *'nobody at home' ('no hay nadie en casa')* de los bailarines contemporáneos, ambas de las cuales corren el riesgo de deshumanizar al bailarín. Puede que este sea el efecto deseado pero, en mi opinión personal, la danza casi siempre es más interesante cuando es interpretada por bailarinas a quienes el público percibe como presentes y con personalidades. Una vez más, nos encontramos con el problema de la distancia del público y las dificultades para ver los rasgos de las bailarinas en detalle. Esto puede conducir a la exageración de las expresiones, como en el caso de la ya mencionada mueca de sonrisa del ballet, y puede derivar en una especie de rostro pantomímico antinatural.

Otro problema es que las bailarinas a menudo se concentran en movimientos complejos de varias partes del cuerpo, y el rostro simplemente queda olvidado. El modo más exitoso que he encontrado para combatir estos problemas es hacer que las bailarinas piensen en lo que está sucediendo, escuchen las palabras si es que las hay, sean conscientes de las otras bailarinas, piensen en significados o en abstracciones. De este modo, la bailarina habita su cuerpo y evita el problema de *'no hay nadie en casa'*. Curiosamente, este estado de presencia puede transmitirse a distancia y, por supuesto, es vital en los primeros planos filmados.

mirada de la bailarina Aquello a lo que la bailarina está mirando es fundamental. Pensemos en la bailarina moviendo su mano derecha en una especie de ola; ahora, imaginemos que la bailarina sigue a la ola con sus ojos, o que en lugar de eso mira directamente al público durante el movimiento, o mira a otra bailarina mientras hace la ola. El mismo gesto adquiere tres significados distintos dependiendo puramente de hacia dónde mire ella. También es extremadamente significativo el cambio de mirada en mitad de un movimiento, ya sea hacia el movimiento o alejándose de este.

Deberíamos resaltar el ya mencionado caso de la bailarina mirando al público, lo cual puede, en ciertas circunstancias, romper el hechizo del público que imagina estar viendo algo distanciado de sí mismo. Esta ruptura de la cuarta pared, que tiene sus raíces en el cabaret, puede ser una herramienta poderosa (tal como dijo Heidi Dzinkowska, *'las bailarinas deberían mirar siempre a su público a los ojos, las bailarinas que solo se miran a sí mismas tienen algo que esconder'*).

inclinación de la cabeza La inclinación de la cabeza de la bailarina es crucial y muy legible para el público. Gran parte del tiempo, el cuerpo de la bailarina está flexionándose e inclinándose, y es fácil perder registro del modo en que la cabeza está alineada. Además, como ya hemos discutido en el apartado sobre la Mirada de la Bailarina, podemos querer dirigir la atención hacia un movimiento o hacia otra bailarina, o bien desviarla de ellos mediante la mirada.

No obstante, en general, especialmente cuando se están realizando desplazamientos en el espacio, el ángulo de la cabeza puede ser un indicador del estado de ánimo y la intención. Moverse con la cabeza nivelada y mirando hacia el frente sin ninguna inclinación puede mostrar firmeza y un sentido de propósito, una inclinación hacia arriba puede sugerir optimismo y ensoñación, y una inclinación hacia abajo puede mostrar tristeza y desesperanza.

manos En muchas de las danzas de la India, se puede ver que cada mano tiene el mismo potencial expresivo que el cuerpo entero, con diversas posiciones de dedos y flexiones. Esto es así tanto en el mundo abstracto de formas puras como en el mundo narrativo y expresivo del personaje y la emoción. Sin embargo, en muchas otras danzas, las manos quedan relegadas a ser meras espectadoras. Como ya hemos mencionado, el problema a menudo se presenta cuando la danza tiene lugar en espacios muy grandes, donde tales sutilezas se pierden. No obstante, existen las opciones de que la performance suceda en espacios más íntimos, o especialmente en films de danza, pero incluso en los espacios más grandes hay formas de amplificar los movimientos de las manos – la más obvia de ellas es usando Movimiento al Unísono.

posición de mano fija Este tipo de Posición Clave Fija es una herramienta muy útil. Mientras que los movimientos de mano rápidos y complejos se pierden fácilmente a la distancia, la Posición de Mano Fija, por su constancia, usualmente puede ser leída con facilidad, incluso desde lejos. La posición de mano fija más común es la mano extendida, que es usada para alargar el brazo y es muy común en el ballet, pero en cierto sentido, alargar simplemente el brazo aporta muy poco a la coreografía. Mucho más interesantes son esas posiciones con, por ejemplo, el puño cerrado, los dedos separados, la mano flexionada.

Aunque estas posiciones pueden ser usadas por una cuestión puramente formal, a menudo tienen una cualidad emocional o narrativa e incluso pueden ser imágenes icónicas. Las Posiciones de Mano Fija que involucran a ambas manos juntas, por ejemplo, manos agarradas, o yemas de los dedos tocándose, son ligeramente más difíciles de utilizar. Un ejemplo intrigante es el de la bailarina con las manos en sus bolsillos. Esta postura, con sus connotaciones de despreocupación e informalidad, puede combinarse con el rigor de la coreografía precisa en un fascinante modo cuasipedestre.

tensión de mano La tensión y relajación de varias partes del cuerpo es importante en la danza; no obstante, este aspecto usualmente es visto solo cuando esa parte del cuerpo se mueve. Por ejemplo, cuando un brazo está en posición estática, es difícil ver, especialmente a distancia, si está tenso o no. Las manos, sin embargo, incluso cuando se encuentran inmóviles, pueden funcionar como barómetros para la tensión.

gesto de mano significativo Como ya hemos dicho, después del habla, el siguiente modo más importante de comunicación es a través del movimiento de manos, y hay cientos de Gestos Significativos que el público puede leer fácilmente – un saludo, pulgares arriba, señalar, un gesto de '*alto*' o de '*ven aquí*', etc. Estos pueden constituir una parte importante en la danza narrativa, especialmente cuando esta no incluye al habla.

lengua de signos Ver el capítulo Texto.

mano geométrica La mano, siendo la parte más flexible del cuerpo, puede realizar una enorme variedad de formas geométricas, especialmente cuando se combinan ambas manos. Como ya hemos mencionado, en espacios grandes, estas formas sutiles pueden ser difíciles de ver, pero también debería recordarse que las manos pueden combinarse geométricamente con los brazos flexionándose de varias maneras para producir una amplia variedad de formas.

hombros En espacios escénicos de gran escala, supongamos, con un aforo de más de 2000 personas, desafortunadamente las bailarinas tienen que recurrir a una especie de semáforo para llegar a la gente que está en la parte de atrás, ¡con las piernas y brazos haciendo las veces de banderas! Junto con los rostros y manos que salen perdiendo, abogaríamos en particular por la coreografía de hombros. No solo que los hombros son una de las articulaciones más flexibles con un amplio rango de posibilidades de movimiento, incluyendo movimientos visiblemente grandes, sino que también cumplen un rol significativo en la expresión humana. No obstante, ¡dejaremos que sean los Estudios de Caso los que se pronuncien en favor de más movimiento de hombros en la danza!

15 notación

Por varias razones, es decir, para el desarrollo de nuevas obras, comunicación de la coreografía, documentación histórica, etc., es útil contar con algún método para la notación de la danza.

labanotación La Labanotación es, por lejos, el sistema más famoso y desarrollado de notación escrita para danza y es una herramienta maravillosa para entender el movimiento, especialmente en el contexto del propio trabajo e ideas de Laban. Como un sistema para uso diario, sin embargo, parecería ser demasiado complejo y específico en relación a las teorías de Laban y por ello, en mi experiencia, es muy poco utilizado en la práctica.

video En la actualidad, la forma más utilizada para la documentación/notación es el registro en video, y este es un recurso fantástico para la enseñanza y el archivo de coreografías. Existen tres áreas en las que, en cierta medida, resulta insuficiente:

1. Desarrollo de nueva obra. Antes de que la obra exista, hay poco que registrar en video. Esto hace que sea difícil para la coreógrafa crear obra en abstracto. En particular, la Coreógrafa de Sillón, que está creando danza en su cabeza, no puede usar el video para documentar la obra en proceso.

2. El video no distingue lo que es esencial a la obra, lo que es menos importante y lo que es irrelevante, por ejemplo, la bailarina aprendiendo una coreografía a partir de un video puede pasar una gran cantidad de tiempo copiando las posiciones de pies con exactitud, solo para descubrir luego que estas nunca fueron especificadas. Una forma de solucionar esto es hacer múltiples videos de la misma coreografía, especialmente con distintas bailarinas, a través de los cuales los elementos comunes pueden entonces ser vistos como necesarios. No obstante, esto es complicado de hacer y además consume mucho tiempo a las bailarinas involucradas.

3. Puede que el video no muestre claramente las estructuras subyacentes, especialmente si estas se encuentran ocultas. Un ejemplo simple de esto sería si la obra utilizara estructuras Rítmicas Ocultas (véase el capítulo Ritmo).

Cabe señalar que un video realizado con fines de notación puede ser bastante diferente de uno realizado como una representación de la obra para un público. Por ejemplo, en una obra con muchas bailarinas, puede que sea apropiado tener un video de todas las bailarinas, pero además, videos en primer plano de cada bailarina individual. También resulta útil hacer videos específicos quitando elementos que impidan ver con claridad lo que la bailarina está haciendo realmente. En aquellos casos en los que la danza suceda con iluminación tenue, el video para notación puede ser filmado con una iluminación más intensa. Las danzas con vestuario que oculte el movimiento subyacente pueden ser filmadas utilizando ropa mínima de ensayo. Las danzas en las que los movimientos no sean claros desde el frente, pueden ser filmadas desde múltiples puntos de vista que el público nunca ve. Finalmente, siempre es útil tener también un video de la pieza terminada con público, que brinde el contexto de la obra completa.

fotografías Podría parecer extraño usar fotografías fijas para documentar coreografía cuando un video que contenga movimiento es fácil de producir. Sin embargo, si volvemos a pensar en el concepto de las Posiciones Clave, las cuales son de algún modo como fotos instantáneas, entonces el valor de una imagen que puede ser estudiada y copiada meticulosamente resulta obvio. Se podría pensar que un registro en video puede ser pausado para estudiar ese instante en el tiempo. Pero el valor de la fotografía reside en que varias posiciones pueden haber sido seleccionadas por la coreógrafa por ser consideradas importantes. La pose también puede ser cuidadosamente armada para representar con precisión lo que la coreógrafa tenía en mente.

instrucciones escritas Otro tipo de notación que puede resultar útil consiste en una serie de instrucciones escritas, por ejemplo, elevar la mano derecha al nivel de la frente. Esto puede ser engorroso pero se puede comprimir fácilmente usando abreviaturas, por ejemplo, elevar MD a F. Un problema aquí es la definición de la velocidad de los movimientos, lo cual en cierta medida puede ser aliviado mediante el uso de adverbios descriptivos, por ejemplo, elevar MD a F rápidamente al comienzo, luego lentamente. Si la coreógrafa y las bailarinas están familiarizadas con la notación musical, un modo de definir la temporalidad de los movimientos es sincronizando las instrucciones escritas con una partitura musical, como veremos más adelante. Si no hay música para la obra, entonces se puede usar una línea de ritmo musical abstracta. En el caso de que la coreógrafa y las bailarinas no estén familiarizadas con la notación musical, una serie de conteos puede indicar las temporalidades. Si la obra utiliza texto, también es posible sincronizar los movimientos con las temporalidades de palabras o frases específicas.

Un segundo problema con las instrucciones escritas es que resulta difícil ser preciso acerca de la naturaleza de los movimientos. Obviamente, existen infinitas maneras de elevar MD a F. Hasta cierto punto, esto puede dejarse a criterio de la bailarina como intérprete – tal como una pianista tocando una sonata de Beethoven tiene cierta cantidad de información sobre notas y duraciones, pero debe dar forma ella misma al fraseo y a la intención de la música. Del mismo modo, la bailarina puede tomar una serie de movimientos y moldearlos en una estructura que tenga sentido. Se podrían incluso argumentar las ventajas de tales libertades, en tanto que una obra puede rehacerse cada vez que una nueva bailarina la interpreta (tal como una pieza musical es recreada cada vez que es ejecutada por otra persona).

diagramas Otra opción para la notación es el uso de dibujos simples o diagramas (quizás figuras de palo como los famosos *Bailarines* de Sherlock Holmes). Aunque carecen del detalle del video o las fotografías, estos pueden proveer recordatorios rápidos y de fácil acceso a las diversas posiciones.

partitura musical Para coreografías con música, como ya mencionamos, a menudo es útil usar la partitura de la música como base para la notación de eventos, especialmente si las bailarinas y la coreógrafa pueden leer música. No obstante, incluso si no pueden leer música, la partitura puede proveer una indicación gráfica acerca de cómo la música se mueve hacia arriba y hacia abajo, comienza y concluye, etc. En cualquier caso, lo mejor es no usar una partitura completa (incluyendo a todos los instrumentos de la orquesta) sino más bien una partitura de piano o una partitura de la melodía. Esta última consiste simplemente en la melodía principal de la pieza en una única línea de música y generalmente proporciona información suficiente para seguir el flujo de la música. Diferentes eventos, Posiciones Clave y Transiciones pueden ser sincronizados con las notas musicales, ya sea en forma de texto escrito o diagramas.

híbrido de video/escritura En mi experiencia, la mejor práctica de notación combina video y material escrito, y esta combinación puede aliviar los problemas individuales señalados anteriormente en relación a cada una de estas prácticas. De esta forma, la coreógrafa puede inicialmente delinear el contenido esencial de los movimientos por medio de instrucciones ajustadas rítmicamente a una partitura o a una serie de conteos. Estas pueden ser testeadas en una o más bailarinas mientras se realiza un registro en video. Los videos e instrucciones pueden luego ser refinados a través de ensayos, hasta llegar a producir una versión final, que puede ser utilizada como base para cualquier reconstrucción de la obra. Las instrucciones escritas detallan lo que es esencial, y muestran claramente instrucciones y estructuras ocultas subyacentes, mientras que el video muestra la calidad de movimiento y detalles más finos de dinámicas y posicionamiento. Un texto complementario puede señalar deficiencias y errores en la performance en video (por ejemplo, esta sección debería haber sido más rápida, aquí la bailarina debería haber elevado su mano más alto, etc.), y también tenemos la oportunidad de contar con múltiples videos que muestren interpretaciones alternativas, así como primeros planos y planos generales.

16 música

La mayoría de las obras de danza utiliza música, y la relación entre la música utilizada y la coreografía es compleja y puede ser problemática para las coreógrafas – he abordado algunos de los desafíos que se presentan en el Capítulo 9 de *Anarchic Dance*. Los problemas que surgen están compuestos por dos factores. En primer lugar, hay un desequilibro entre la cantidad de música creada en comparación con el número de obras de danza. Adicionalmente, a través de los siglos, se ha producido un vasto número de análisis, libros, estudios de estructuras musicales, etc., sin mencionar el desarrollo de un sofisticado sistema de notación universal. Esto se compara con los pocos estudios sobre coreografía anteriores al siglo veinte. El segundo problema es que la parte musical de la obra frecuentemente es completada antes de que la obra de danza siquiera haya comenzado. Muchas obras de danza utilizan música proveniente de los repertorios generales de estilos de música clásica, popular o nacional. Incluso cuando la música es específicamente comisionada para una performance de danza, y puede haber una retroalimentación entre la compositora y la coreógrafa, seguiría siendo raro que la obra de danza ya esté terminada y luego se comience a componer la música. En el afortunado caso en el que la compositora y la coreógrafa sean la misma persona, entonces una verdadera relación simbiótica entre las dos puede ser posible. Las coreógrafas han desarrollado varias estrategias para lidiar con la relación entre danza y música, y examinaremos algunas de ellas.

dominancia musical Aquí la coreografía sigue a la música en detalle, copia aspectos rítmicos de sus melodías, está alineada con su clima y tono emocional y duplica sus estructuras más importantes e impulsos dramáticos. A primera vista, esto podría parecer una idea terrible, ¿acaso no está la coreógrafa copiando servilmente la obra de alguien más, renunciando a su independencia y libertad creativa? Sin embargo, tras una segunda mirada, podemos ver que una pieza de coreografía no es una pieza de música – incluso si la coreógrafa sigue exactamente cada nota con una transición, está produciendo algo diferente que está meramente basado en una especie de modelo. Por ejemplo, consideremos a la compositora que realiza un arre-

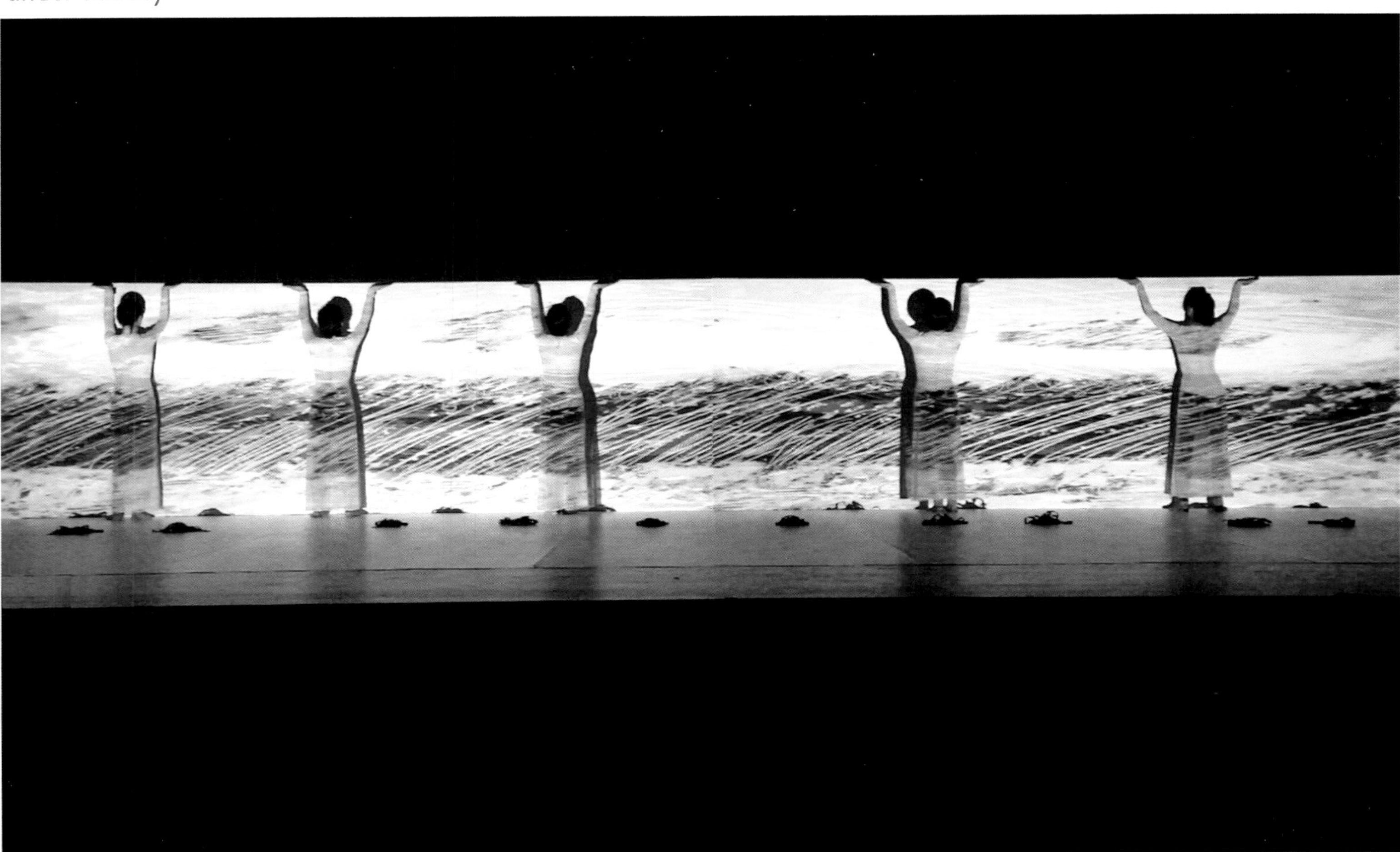

glo musical de un poema manteniendo su métrica, ritmos, etc. - la canción resultante no es el poema, sino algo nuevo y diferente a todas las otras canciones basadas en ese mismo poema. ¿Qué sucede, no obstante, con el problema de la música determinando la estructura y el tono emocional de la danza? Aquí, deberíamos recordar que con toda probabilidad, la coreógrafa ha escogido la música entre millones de posibilidades (o en efecto ha instruido a una compositora sobre aquello que desea), para que coincida con las emociones y estructuras de su concepto para la obra. Sin embargo, pese a estas salvedades, copiar servilmente a una pieza de música con danza sigue estando plagado de peligros. En las circunstancias adecuadas (especialmente con música rítmica muy compleja), esta puede ser la solución perfecta, pero frecuentemente esta técnica puede (especialmente cuando se trata de música muy conocida) resultar en una coreografía que sea muy literal e incluso predecible.

contrapunto danza/música En el contrapunto musical, tenemos dos o más voces que se relacionan entre sí pero mantienen cierta independencia – por momentos puede que se sigan una a otra, por momentos puede que se contradigan, a veces pueden incluso copiarse entre sí con algún desplazamiento temporal, etc. Imaginemos que la música es una de las voces y la coreografía es la segunda. En ese caso, podemos de modo similar tener una situación en la que la danza es consciente de la música y se relaciona con ella pero mantiene una cierta independencia. De algún modo sigue siendo cierto que la coreografía se está alimentando de la inventiva de la música, pero aquí la danza tiene más posibilidades de redescubrir a la música. Como dije en *Anarchic Dance*, la mejor coreografía puede reinventar a la música que utiliza, revelar nuevos aspectos de la misma y mostrarla bajo una nueva luz. Cuando evaluemos si tenemos un ejemplo de Dominancia Musical o de Contrapunto Danza/Música, la prueba de fuego consiste en ver ambos elementos de forma aislada. ¿La música se vuelve más clara y más rica cuando se agrega la coreografía? ¿La danza puede sostenerse por sí misma sin la música?

marco musical Aquí la música funciona como una especie de estructura básica sobre la cual la danza toma forma, y lo que la coreógrafa sigue es la velocidad del pulso, la métrica (es decir, el patrón de acentos), algunas formas globales y el tono emocional general de la pieza. El detalle de la música (a diferencia de las dos técnicas anteriores) no es precisamente ignorado pero no influye sobre la coreografía. Este método frecuentemente utiliza géneros de música minimalista del tipo de Philip Glass, o también algunos de los estilos barrocos instrumentales más continuos.

papel tapiz musical Aquí la música funciona como una especie de fondo sonoro para la coreografía y no provee métrica ni pulso pero puede influir sobre la atmósfera general de la obra. En este contexto a menudo se utiliza música ambiental y también música electrónica que presenta muchos zumbidos y transformaciones continuas del sonido sin características distintivas. El término papel tapiz puede parecer despectivo, pero no pretende serlo – existen muy buenos papeles tapices y pueden realzar habitaciones y vidas, del mismo modo que este papel tapiz musical puede realzar una obra de danza. La coreógrafa también tiene gran libertad para inventar sus propias estructuras rítmicas sin conflicto alguno con la música.

independencia musical Esta práctica, adorada por Merce Cunningham y John Cage, consiste en crear la danza y la música de forma independiente (posiblemente compartiendo algunas restricciones generales de tiempo y estructura), y luego juntarlas a último momento. En su caso, debido a la complejidad aleatoria de las partituras de Cage, su música logra funcionar como el tipo de Papel Tapiz Musical discutido en el apartado anterior.

No obstante, podríamos imaginar que en el caso de un compositor que haga música más métrica surgirían conflictos, tanto para las bailarinas como para el público. Esto podría funcionar y producir resultados sorprendentes e inesperados, sin embargo, es igualmente probable que esto no funcione y genere aburrimiento y confusión en la mente del público. Tal como sucede con la Improvisación en Vivo, me inquieta la idea de experimentar a expensas del tiempo del público y por eso, del mismo modo que con la improvisación, me gustaría diferenciar entre el uso de la Independencia Musical en un contexto en vivo y el uso de la Independencia Musical como herramienta creativa en ensayos y durante la creación de la obra.

independencia musical creativa Aquí la coreógrafa crea una pieza de coreografía, ya sea en silencio o con alguna música. Luego quita la música original, si esta existe, y superpone una música completamente nueva. Esto puede hacerse con las bailarinas ensayando en vivo, o bien con material filmado – ambas técnicas tienen sus méritos. Con la situación en vivo, las bailarinas tienden a ajustarse a la nueva música, alterando sutilmente sus movimientos, y por lo tanto quizás reduciendo los resultados accidentales inesperados. Con la superposición fílmica, la danza permanece exactamente igual, y a menudo resultará sorprendente lo bien que la nueva música se adapta a la antigua coreografía. Del mismo modo en que tendemos a ver rostros en todos lados (en la luna, por ejemplo), el cerebro humano quiere imponer vínculos y significados en aquello que encuentra, y forzará coincidencias cercanas transformándolas en conexiones aparentemente intencionales. La superposición con el video tiene la ventaja de no consumir tiempo valioso de las bailarinas y también brinda a la coreógrafa la posibilidad de revisar muchas veces cualquier resultado prometedor. Los resultados de tales experimentos pueden ser reelaborados y desarrollados hasta llegar a piezas finales. Recomendaría fuertemente esta práctica creativa en tanto que puede, además de conducir a resultados novedosos, revitalizar prácticas musicales desgastadas y ayudar a evitar el síndrome de la danza siguiendo a la música.

montaje musical La coreógrafa no necesita utilizar una única pieza de música. Tener una única partitura, en particular si la misma fue especialmente creada para una obra, puede tener enormes beneficios para unificar y estructurar a la obra de danza; no obstante, hay beneficios sustanciales que la coreógrafa puede ganar al crear su mundo musical a partir de una serie de fuentes diversas. Las piezas usadas no necesitan provenir de un contexto similar, y la coreógrafa puede combinar música de cualquier período, género, estilo, atmósfera. La yuxtaposición de músicas variadas puede ser refrescante para el público, al que quizás se le puede presentar por tres minutos algo (por ejemplo, música electrónica altamente disonante y agresiva) que resultaría opresivo si continuara por noventa minutos, pero que puede ser aceptable en dosis más pequeñas. En efecto, la combinación de diferentes estilos de música a menudo resalta sus cualidades individuales. Esta técnica puede ser usada para lograr efectos dramáticos y brinda a la coreógrafa un control fantástico sobre la continuidad del contenido emocional de la obra. Vale la pena que la coreógrafa reconozca y estudie cuán efectiva es esta técnica en las partituras sonoras de muchos largometrajes, donde esta es una práctica generalizada. El corolario de esto es que la coreógrafa debe ser cuidadosa para lograr equilibrio y proporción, y evitar las trampas obvias de la falta de unidad y el desorden musicalmente confuso.

música grabada Por razones financieras, prácticas, artísticas, mucha de la música que acompaña a la danza es música grabada. El uso de música grabada tiene ciertas ventajas. Para empezar, es una cosa menos de la que preocuparse para todo el mundo. En segundo lugar, las bailarinas saben que la velocidad de la música será siempre la misma y que no habrá sorpresas. Finalmente, para algunos tipos de música, por ejemplo electrónica, histórica, étnica, puede que no haya otra alternativa que usar grabaciones. La desventaja es que, si se sincronizan de manera precisa con la música, las bailarinas quedan en una especie de camisa de fuerza sin espacio para libertades espontáneas. Un problema con la música grabada es que puede ser difícil de coordinar, sin una conexión visible entre la bailarina y el músico, especialmente al comienzo de secciones. Aquí, puede ser beneficioso incluir respiraciones de las cantantes antes de los comienzos de frases (o agregar respiraciones a la música instrumental) que el público no notará, pero la bailarina puede tomar como pie.

música en vivo Cuando contamos con el lujo de la música en vivo, podemos invertir casi todas las afirmaciones del párrafo anterior. En cuanto a las desventajas, la música en vivo es más costosa en términos económicos, implica un montón de problemas (especialmente si es necesario mover y afinar pianos) y es impredecible. La ventaja es la libertad de las bailarinas para moverse rítmicamente, completamente seguras sabiendo que los músicos las están siguiendo. A modo de un pequeño ejemplo, imaginemos a una bailarina dando pasos pequeños, irregulares, casi aleatorios, cada paso conectado a una nota musical. Hacer esto con música grabada es casi imposible; la bailarina debería aprender minuciosamente los patrones rítmicos aleatorios que escucha en la grabación. Con músicos en vivo esto se puede hacer en cuestión de momentos – la bailarina se vuelve casi la directora de los músicos, y estos pueden seguirla atentamente. Este intercambio bidireccional entre músicos y bailarinas brinda enorme cohesión a la música y a la danza, y realza la experiencia visceral y la singularidad de un show en vivo.

música espontánea Aquí tenemos a una o varias bailarinas actuando con uno o varios músicos en vivo quienes, en lugar de tocar siguiendo una partitura, ejecutan sonidos musicales espontáneos en respuesta a los movimientos de la bailarina. Dudaríamos en usar la palabra improvisado en este contexto, porque como ya hemos discutido, la verdadera improvisación es difícil (e imposible de grabar), y lo que usualmente ocurre es una presentación espontánea de patrones y respuestas preaprendidos. Irónicamente, dado que la danza ahora está controlando a la música, este método corre el riesgo de la primera categoría que discutimos, Dominancia Musical, que es el de parecer demasiado literal y predecible.

alternancia musical Es típico que la danza que utiliza música lo haga de modo continuo a lo largo de toda la obra; sin embargo, a veces es altamente efectivo tener una sección de danza sin música y luego una sección con música (o viceversa). Esta Alternancia Musical enfatiza las diferencias entre la danza con y sin música, y puede tener un efecto bastante mágico.

música que contiene texto Con la música que posee texto, es decir, canciones y ópera, agregamos una tercera capa de sentido y hemos examinado esto en el capítulo Texto.

música no típica La mayoría de los estilos de danza tienden a gravitar hacia ciertos tipos musicales complementarios: danzas urbanas con música electrónica contemporánea, ballet con música orquestal romántica, danzas de la India con música clásica de la India. Si bien estas son generalizaciones extremas, un modo de refrescar la paleta coreográfica desgastada es utilizar música que esté por fuera de la norma, por ejemplo, danzas urbanas con música clásica barroca, danzas de la India con una partitura electrónica, ballet con música folklórica, etc.

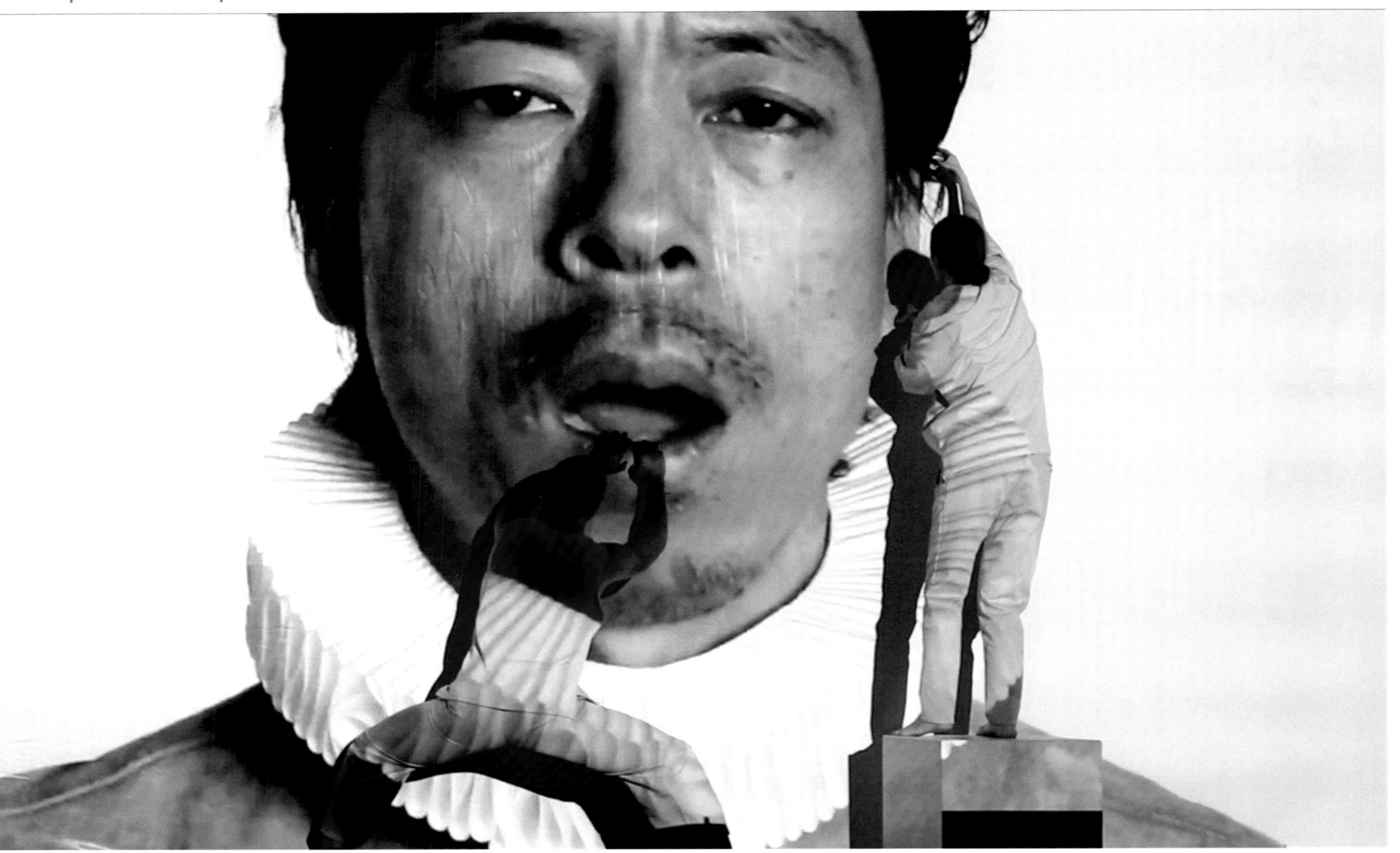

17 diseño visual

caja negra/caja blanca Mucha de la danza en teatros sucede en un espacio de caja negra con un piso negro de linóleo y un telón de fondo negro, ocasionalmente reemplazados por piso y fondo grises o blancos, dependiendo de la iluminación. Hay algunas excelentes razones que justifican esta disposición. La mayoría de los teatros pueden montar esto muy rápidamente, y, para compañías de danza que realizan giras, este sistema les permite mantener una coherencia visual de un espacio escénico al siguiente. Las dos disposiciones cubren una gama de posibilidades, con la caja negra siendo muy apropiada para efectos de iluminación sutiles y atmosféricos, que pueden hacer que se pierda el fondo; y la caja blanca siendo ideal para coreografías más abiertas, de gran escala. Habiendo dicho esto, se debe admitir que la experiencia de ver nuestra quincuagésima coreografía en una disposición de caja negra, a menos que la iluminación o los vestuarios sean excepcionales, resulta visualmente aburrida. Las bailarinas componen quizás el diez por ciento de lo que vemos, y el resto es oscuridad o vacío blanco, ¡y estamos allí por noventa minutos! ¡Imaginemos ver un largometraje con muy buena iluminación, vestuarios y actuación pero montado contra un fondo negro! Consideremos, por tanto, algunas de las opciones para aliviar esta situación común.

escenografía Hay un vasto rango de posibilidades escenográficas, desde decorados para grandes producciones de ballet, que cuestan enormes cantidades de dinero hasta decorados mínimos portátiles de compañías de mediana escala. También, hay muchas opciones que oscilan entre decorados de apariencia 'realista', que pueden intentar, por ejemplo, recrear un salón de baile, y decorados artísticos, que pueden ser completamente abstractos. Una desventaja que tienen incluso los decorados más fastuosos es que usualmente son estáticos y deben permanecer iguales; si no por toda la obra al menos durante buena parte de la misma. También se debe mencionar que para la mayoría de las compañías de pequeña escala, la logística de realizar giras trasladando escenografía resulta demasiado costosa. No obstante, una posibilidad es utilizar objetos que se pueden encontrar en la mayoría de los teatros, como por ejemplo, mesas, sillas, cajas, escaleras, que pueden romper el espacio vacío (y como vimos en Marcadores Espaciales pueden constituir también ayudas coreográficas muy útiles).

iluminación Una posibilidad para aliviar la ubicuidad de la caja negra es a través de la iluminación artística, y en efecto algunas diseñadoras han realizado escenas visuales genuinamente asombrosas utilizando únicamente luz. Un problema con esto es que la mayoría de los coreógrafos tienen un miedo patológico a que las bailarinas no sean vistas (y, efectivamente, esto puede ser molesto para el público). Esto, sumado al hecho de que las bailarinas suelen moverse mucho por el espacio, conduce a una tendencia a cubrir todo el escenario con luz, lo que destruye cualquier posibilidad de efecto artístico y también aplana al movimiento. Mucho más efectiva y más artística es la iluminación altamente direccional y específica, por ejemplo, solo desde un lateral. Además de proporcionar opciones para seccionar el espacio a través de la focalización, esto puede, por medio del uso de la sombra, por ejemplo sobre un lado de las extremidades de la bailarina, clarificar sus posiciones y formas. La iluminación focalizada también tiene el beneficio de recortar el espacio de la caja y centrar la atención en las bailarinas.

El ya mencionado problema de las bailarinas quedando fuera de la luz puede ser aliviado mediante el ensayo cuidadoso y la colaboración entre la diseñadora lumínica y la coreógrafa – especialmente teniendo en cuenta el concepto de que entrar y salir de la luz puede ser parte de la coreografía. Una mega herramienta que nos permite hacer foco en la(s) bailarina(s) y olvidar el espacio es el seguidor, que también puede aportar un sentido dramático o incluso evocar otros escenarios, tales como el del cabaret.

iluminación lineal Este es un diseño lumínico muy especializado cuyo propósito es el de clarificar la coreografía. Mediante el cuidadoso posicionamiento de las luces (frecuentemente a cada lado de la bailarina), se crea una línea de sombra debajo de las extremidades de la bailarina, y estas líneas sirven para resaltar cualquier forma geométrica realizada a partir de las Posiciones Clave y también para iluminar los movimientos. Se podría pensar que es posible lograr un efecto similar pintando las líneas sobre la bailarina, o haciendo que estas sean parte del vestuario, pero la Iluminación Lineal genera una sensación mucho más orgánica, en tanto que las líneas se van moviendo continuamente sobre los contornos del cuerpo.

diapositivas Un modo de aplicar imágenes visuales a la puesta de danza o a las bailarinas mismas es a través de la proyección de diapositivas que contengan arte visual. Las diapositivas poseen una cierta luminosidad que puede ser muy hermosa; no obstante, los proyectores de diapositivas que son lo suficientemente potentes para competir con la iluminación escénica, especialmente en espacios más grandes, son demasiado costosos. Con la aparición de proyectores de video extremadamente potentes y ampliamente accesibles, recomendamos utilizar estos últimos incluso para imágenes fijas.

proyección en video La Proyección en Video de imágenes fijas parecería ser una de las formas ideales de introducir interés visual al espacio performático de danza. La mayoría de los teatros tienen pantallas blancas y proyectores de buena calidad, por lo que los costos para giras son insignificantes. Las imágenes proyectadas pueden ser fotográficas, arte gráfico, arte abstracto, etc., y pueden ser cambiadas para cada escena si se desea. Con estas ventajas, resulta sorprendente que tan pocas obras de danza utilicen imágenes proyectadas en video, lo cual puede deberse a las siguientes cuestiones. Uno de los problemas parece ser que usualmente no es posible que las imágenes sean proyectadas desde atrás. Esto es cuando el proyector está detrás de la pantalla, la cual es semitransparente. Aquí, la necesidad de que el proyector se encuentre alejado de la pantalla implica que la pantalla debe ser adelantada, y esto puede reducir fácilmente la profundidad del escenario a la mitad. Además, las proyecciones realizadas desde atrás de la pantalla pierden la mitad de la luz del proyector, por lo que la imagen puede lucir tenue. El problema con la proyección frontal es que es casi inevitable que las bailarinas entren en el haz del proyector y de este modo tomen parte de las imágenes sobre sus propios cuerpos y además arrojen sombras sobre la pantalla. Sin embargo, considerados desde un ángulo diferente, estos problemas de la proyección frontal pueden ser vistos como grandes oportunidades:

1. Si las bailarinas son iluminadas por las proyecciones, las líneas sobre ellas clarifican sus movimientos.

2. Las bailarinas y sus vestuarios pueden ser avivados con un color proyectado que cambie constantemente a medida que ellas se mueven.

3. La coreógrafa tiene la oportunidad de fusionar a la danza con el arte visual.

4. Las imágenes sobre las bailarinas pueden ser parte de la coreografía.

5. Las sombras que generan las bailarinas también pueden ser parte de la imagen coreográfica, multiplicando sus formas.

Un problema secundario con las imágenes proyectadas tiene que ver con iluminar a las bailarinas. Incluso cuando las bailarinas se encuentren dentro del haz de proyección, generalmente también necesitarán ser iluminadas de modo convencional, y esto puede ser complicado. Esto sucede porque incluso con proyección frontal y con un proyector potente, la iluminación escénica es mucho más brillante, y si la proyección de fondo es impactada por luces escénicas, la imagen proyectada se desvanecerá. No obstante, este problema puede ser solucionado mediante un uso criterioso de la luz lateral (que de cualquier manera siempre luce mejor). Como veremos en los Estudios de Caso, de mis últimas once obras de danza en vivo, solo una no ha utilizado proyección en video.

imagen proyectada en movimiento Podríamos preguntarnos, si tenemos un proyector de video, ¿por qué limitarnos a imágenes fijas? La respuesta a esa pregunta es que resulta difícil conjugar la imagen en movimiento con las bailarinas en movimiento y es muy fácil producir un cuadro general confuso; examinaremos esto en más detalle en el capítulo Film.

espacio no teatral Las performances de danza pueden ser presentadas en cualquier lugar – un centro comercial, un parque, una playa, un bosque, el living de una casa. Esto puede tener el beneficio de abrir la obra a públicos que no suelen ver danza en un teatro y también nos libera del tedio del espacio de caja negra. No obstante, debe decirse que las posibilidades de crear nuevos diseños visuales (aunque la obra puede habitar un entorno que ya sea visualmente rico), son más complicadas dado que la iluminación y la proyección se vuelven difíciles, si no imposibles, especialmente con luz de día.

danza de sitio específico Un tipo de obra que constituye un subconjunto dentro de Espacio No Teatral es la Danza de Sitio Específico. Como sugiere el título, este es un tipo de obra que ha sido hecha para, e influenciada por, un lugar o locación específica. Aquí, el diseño visual de la obra puede tomar en cuenta las formas y cualidades visuales de la locación, y estas pueden influir sobre la coreografía. Una desventaja de la Danza de Sitio Específico es que, por definición, no puede ser exactamente repetida en otro lugar, a menos que podamos encontrar una locación idéntica. La obra puede ser Reinventada para otro espacio, es decir, coreográficamente desmontada y rearmada para tomar en cuenta al nuevo sitio, pero de algún modo, eso anula el punto del ejercicio.

Muchas Danzas de Sitio Específico simplemente utilizan la locación visualmente más emocionante de un modo convencional, con el público sentado o parado en una zona apropiada para la obra. No obstante, a veces existe la interesante posibilidad de liberar al público permitiéndole moverse por el o los espacios, posiblemente hacia distintas áreas en las que estén sucediendo eventos alternativos.

vestuario con diseño visual Las posibilidades de integrar al vestuario dentro de los elementos visuales de la obra son muchas. Una opción es estampar imágenes visuales sobre los vestuarios, las cuales pueden estar relacionadas con otro contenido visual (por ejemplo, proyecciones), o con eventos dramáticos o narrativos en la coreografía. Con las proyecciones visuales, ya hemos discutido cómo diferentes materiales y opacidades pueden reaccionar a las imágenes y colores proyectados sobre ellos, especialmente con diseños abstractos (como líneas y cuadrículas); si estos diseños son combinados con los vestuarios pueden tener lugar interacciones fascinantes.

film con diseño visual Con la danza en film, especialmente realizada para obras fílmicas, estamos completamente fuera de la caja negra, y la obra puede ser montada sobre cualquier fondo visual natural o artificial. Especialmente emocionante es la posibilidad de hacer que una artista visual cree un contexto específico (con dibujo, pintura, instalación, escultura, etc.) para la coreografía.

18 vestuario

La ropa que las bailarinas usan (o no usan) puede tener un impacto considerable en la coreografía. La claridad de la coreografía subyacente y el impacto visual general de la obra son cuestiones importantes a considerar. Paradójicamente, dos de los usos del vestuario tienen que ver con proveer, por un lado, uniformidad, y por otro disparidad. En obras con mucho unísono, el hecho de que las bailarinas estén vestidas de forma similar puede realzar el efecto y, en general, la coherencia en los vestuarios unifica a la compañía. Esto puede ser especialmente importante en obras que suceden fuera del teatro, por ejemplo, en el caso de la danza de sitio específico. De modo alternativo, la disparidad de vestuario puede clarificar los personajes de las bailarinas y puede ser crucial en obras que utilicen ideas dramáticas o narrativa. Hay un número casi infinito de posibilidades de vestuario, pero examinaremos algunas de las opciones más comunes.

desnudez La ventaja principal de que las bailarinas realicen su performance completamente desnudas es que no hay ropa que impida ver con claridad sus movimientos y, de hecho, a menudo es posible ver el funcionamiento muscular y esquelético de sus cuerpos. Las desventajas son que muchas bailarinas (aunque no todas) pueden sentirse incómodas estando desnudas en escena y que la desnudez también puede reducir el alcance del público, dado que muchos países lo consideran inaceptable, y aún más, negarían el acceso a niñas y niños. Dos problemas adicionales son que esta práctica tiende hacia cierta falta de definición de carácter y que la ubicuidad de esta propuesta va en contra de la singularidad e individualidad de la obra.

vestimenta mínima Esto se refiere a la menor cantidad de ropa que generalmente es aceptada en términos de preservar la modestia de las bailarinas, por ejemplo, ropa interior o traje de baño (frecuentemente en color piel). Estas opciones mantienen en gran medida la claridad de movimiento que brinda la desnudez. Es necesario decir que si una cierta cualidad escultural y línea son esenciales, entonces puede que sea preferible optar por la desnudez. No obstante, también se debe señalar que este nivel de vestimenta puede aún ser inaceptable en muchos países. Del mismo modo que la desnudez, la vestimenta mínima colabora poco para establecer la individualidad y carácter de la obra o de las bailarinas.

unitardo El unitardo es una prenda de una pieza, ceñida a la piel, usualmente con mangas largas. En teoría, el unitardo debería preservar la claridad de movimiento del cuerpo desnudo al tiempo que brinda la posibilidad de diferentes colores o estampados que creen individualidad. Sin embargo, en la práctica, el resultado es una especie de plasticidad artificial que pierde la textura de la piel humana, y resulta en una situación en la que las bailarinas pueden estar esforzándose para mantener un sentido de individualidad y personalidad.

ropa de ensayo Muchas performances de danza suceden con ropa de ensayo – usualmente prendas cómodas, holgadas y abrigadas que las bailarinas utilizan en su práctica. Esto puede darse por un rechazo deliberado de la idea de vestuario, quizás bajo el pretexto de que *'la danza es lo importante, no necesitamos embellecerla con ropa, dejémosla que hable por sí misma'*. Ya sea por esta razón, o por mera pereza, o quizás falta de presupuesto, utilizar ropa de ensayo en una performance puede resultar decepcionante en tanto que se renuncia a la posibilidad de realzar la coreografía mediante la elección de algún tipo de vestimenta que sea apropiada para la obra. También se debe decir que la soltura de la ropa de ensayo impide ver con claridad el detalle de movimiento de los cuerpos debajo de ella (aunque en algunos casos esto puede ser una bendición).

vestimenta cotidiana Aquí las bailarinas utilizan su vestimenta típica cotidiana – a menudo por las mismas razones por las que se utiliza ropa de ensayo (rechazo deliberado de la idea de vestuario, pereza, restricciones de presupuesto). Si bien presenta algunos de los mismos problemas que la ropa de ensayo, esta opción brinda más posibilidades (obviamente dependiendo de los gustos de las bailarinas en relación a la moda) y posiblemente puede justificarse en que las bailarinas se están interpretando a sí mismas.

vestuario de personaje En la danza narrativa y en la danza-teatro, donde las bailarinas interpretan varios personajes (como en una obra de teatro), puede ser útil para el público que sigue la acción dramática que las bailarinas utilicen vestuarios que las distingan y representen a sus personajes, por ejemplo, por profesión, edad, estatus, etc. Tales vestuarios pueden ser realistas o estilizados y exagerados.

traje Ya sea usado por hombres o mujeres, el traje es una elección de vestuario emocionante, dado que su apariencia semiformal parece no corresponderse con el movimiento libre de la danza, y esta contradicción puede ser cautivante. La elegancia del traje, especialmente cuando es usado por varias bailarinas, también es útil, y las connotaciones de masculinidad, negocios, finanzas, política, control, etc., pueden ser de ayuda desde un punto de vista dramático.

cross-dressing Vestir a las bailarinas y bailarines con vestuarios que son más comúnmente encontrados en el género opuesto (por ejemplo, hombres usando vestidos o mujeres usando trajes) es otra posibilidad razonable. Permite el uso de vestimenta que sea funcional al movimiento mientras que también brinda la opción de vestir del mismo modo a toda una compañía integrada por mujeres y hombres. El uso del *cross-dressing* también puede jugar un papel en obras que exploren la sexualidad y las políticas de género.

elementos unificadores Aquí los vestuarios de las bailarinas comparten uno o más elementos en común (por ejemplo, color, gama de color, tipo de material, época de la moda, etc.), pero los otros aspectos son únicos para cada vestuario. Esto permite unificar a las bailarinas, pero al mismo tiempo les confiere individualidad y evita el concepto de uniforme.

extensiones corporales Aquí los vestuarios enfatizan algunas partes del cuerpo, por ejemplo, mangas largas, o varas que extiendan los brazos, etc. Estas adiciones frecuentemente amplifican y clarifican la coreografía y son especialmente útiles en obras que utilizan Posiciones Clave y Transiciones Geométricas.

vestuario restrictivo Usualmente, buscamos que un vestuario permita que los movimientos sean ejecutados con la menor restricción posible, es decir, que posibilite a las bailarinas moverse con libertad. Sin embargo, hay situaciones en las que la bailarina luchando contra el vestuario puede ser una parte integral de la obra. El uso de los ya mencionados trajes a veces tiene algo de esto.

vestuario semitransparente Esta es una posibilidad emocionante en tanto que permite al público ver los funcionamientos del cuerpo pero también evita la uniformidad de la bailarina desnuda. Brinda a la diseñadora la opción de diversas formas y colores de vestuario, ya sea para realzar la coreografía o para proporcionar carácter a la bailarina. Además, la naturaleza transparente del vestuario también ofrece excelentes oportunidades para proyectar luz o video sobre la bailarina, mediante lo cual se generan múltiples capas (es decir, la parte frontal del vestuario, el cuerpo de la bailarina, la parte posterior del vestuario, la pared de atrás).

vestuario con diseño visual Véase el capítulo sobre Diseño Visual.

19 film

Nos estamos refiriendo aquí a cualquier cosa filmada, lo que incluirá film y video, y he abordado algunos aspectos de esto en el Capítulo 13 del libro *Anarchic Dance*. Como mencionamos en el capítulo sobre Notación, el film es una herramienta muy útil para la enseñanza y notación de danza, y las especificidades de ese uso han sido cubiertas allí. Otros dos usos significativos del Film de Danza son, en primer lugar, la Documentación de obras de danza en vivo para el público y, en segundo lugar, la producción de piezas de danza específicamente realizadas para film. Un híbrido intermedio entre los dos es cuando una performance realizada para ser representada en vivo es filmada de un modo que no intente preservar la visión teatral sino que reinvente la obra para film.

documentación Esto consiste en la filmación de una pieza de danza en vivo (usualmente una obra escénica), con la intención de preservar la obra de un modo que brinde a la espectadora la impresión de estar presente en la performance en vivo. Este probablemente es el tipo de film de danza más difícil de realizar. Si consideramos la experiencia del público en una función en vivo, generalmente las personas se encuentran en una posición fija durante la totalidad de la obra pero pueden, por momentos, enfocar su atención en aspectos individuales, y en otros momentos observar el cuadro general. Además, tienen la experiencia visceral de estar en vivo en presencia de bailarinas humanas y falibles.

Si la realizadora del registro fílmico (como frecuentemente sucede), simplemente coloca una cámara en una buena posición que tome la escena completa y presiona grabar al comienzo y detener al final, entonces, en teoría, debería ser posible recrear algo similar a la experiencia original de la espectadora. Esto depende, no obstante, de la presentación del film en alta calidad en una pantalla cinematográfica muy grande. En realidad, la mayoría de los films de danza son vistos en aparatos de TV, pantallas de computadora o incluso teléfonos móviles, y en estos casos, el tamaño de la imagen implica que casi todo el detalle se pierde, y acabamos viendo a bailarinas de una pulgada de alto.

Para combatir este problema, la directora del film a menudo intercalará tomas de planos generales del escenario completo con primeros planos de las bailarinas. Esto introduce dos nuevos elementos. En primer lugar, la directora está tomando decisiones respecto de hacia dónde debería estar mirando el público en determinados momentos. Como ya mencionamos, en una función en vivo, quien observa puede hacer foco en cualquier parte de la producción en cualquier momento. Esta pérdida de elecciones por parte del público tiene ventajas y desventajas. La principal desventaja tiene que ver con privar a la espectadora del deleite de inventar la performance a su propio modo, de hacer sus propias conexiones, etc. Si consideramos un aspecto neutral, debe decirse que, en muchos casos, el foco de una performance es evidente, por ejemplo, un solo o dúo atraerán tanto la atención de la directora como del público. En cuanto a las ventajas, la directora, con íntimo conocimiento de la obra, puede resaltar su propia interpretación de la misma y poner de relieve elementos que pudieron haber pasado desapercibidos. De hecho, si la directora es en realidad la propia coreógrafa (lo cual recomendaría mucho), o al menos si la coreógrafa está muy estrechamente involucrada en el proceso de filmación, puede tomar esta oportunidad para realzar y clarificar su presencia coreográfica.

El segundo elemento introducido por los primeros planos es que la directora debe interrumpir el flujo de la danza, e instaurar una nueva perspectiva rítmica en la edición. En la mayoría de las documentaciones, las tomas individuales usualmente son bastante largas comparadas con las piezas de danza realizadas para film, por lo que esto es un problema menor aquí.

híbrido de danza/film Esto es cuando una pieza de danza escénica existente es documentada pero, en lugar de intentar recrear la experiencia de la función escénica, la obra es reinventada para tomar ventaja de las posibilidades fílmicas - especialmente utilizando locaciones reales y variadas.

Una de las principales limitaciones de la danza escénica es que el fondo de la performance usualmente es mínimo – frecuentemente un simple teatro de caja negra, como vimos en un capítulo previo. Incluso cuando es posible contar con decorados escenográficos elaborados, estos tienen una cierta cualidad artificial y carecen de la textura y realidad del mundo exterior. No obstante, en el híbrido de danza/film las bailarinas pueden ser resituadas en contextos apropiados si la obra es narrativa o, si la obra es más abstracta, en una gran cantidad de ambientes visualmente estimulantes, como la naturaleza o entornos urbanos.

En el Híbrido de Danza/Film, la coreografía a menudo es reimaginada para tomar ventaja de las posibilidades fílmicas, tales como el uso de primeros planos, de modo que las expresiones faciales pueden volverse ahora más relevantes. Otros aspectos de la danza que pueden ser problemáticos en el escenario, por ejemplo, las bailarinas hablando, ahora se vuelven más manejables y pueden ser más naturales. Filmando en secciones cortas con tomas múltiples, es posible producir una performance sin errores – la performance perfecta. Una ventaja particular del Híbrido de Danza/Film por sobre el Film de Danza puro es que la obra escénica sobre la cual está basado puede haber estado en el repertorio de la compañía por algún tiempo y, a través de múltiples performances, las bailarinas y la coreógrafa han tenido la oportunidad de refinar el material. Es necesario decir que tanto el Híbrido de Danza/Film como la Documentación carecen de la emoción visceral de ver a bailarinas reales en vivo en el escenario.

film de danza En el Film de Danza, la idea generalmente es crear una pieza de danza específicamente pensada para ser filmada y, muy a menudo explícitamente, una obra que no puede ser interpretada en vivo. Cuando se presenta una obra en un escenario, y particularmente en espacios escénicos grandes, se requiere de una proyección específica enorme por parte de las bailarinas, demandando una amplificación de los movimientos a menudo a expensas de los gestos más pequeños y expresivos. En un film, sin embargo, con el uso de primeros planos, se puede utilizar un modo mucho más natural de moverse. Esto se puede comparar directamente con la diferencia entre presentar un texto teatral en un escenario y filmar ese texto teatral, donde las actrices casi que utilizan una técnica de actuación diferente. Particularmente con respecto a la Danza Poética, el film de danza puede disfrutar de muchas de las posibilidades de la poesía. Estas incluyen: la recién mencionada atención al detalle – la posibilidad de realizar obras de cualquier longitud, y especialmente piezas muy cortas – la habilidad para generar conexiones inesperadas a través de la edición – la capacidad de crear obras por encargo que pueden ser revisadas tan frecuentemente y cuando se desee – la posibilidad (especialmente con respecto al punto anterior) de realizar obras complejas con múltiples capas.

documental de danza El Documental de Danza es un formato emocionante, en el que los puntos fuertes y mejores momentos de obras de danza más largas pueden ser intercalados con entrevistas y comentarios de la coreógrafa y las bailarinas, junto con otros materiales contextuales. La duración usualmente corta de los clips y una selección criteriosa de los mejores extractos, junto con explicaciones sobre lo que se está viendo, hacen de este un excelente medio para captar el interés de nuevos públicos.

temporalidad del film de danza Debe señalarse que la tolerancia del público a la duración de la danza parece ser diferente respecto de la danza en vivo y la danza filmada. En la primera, las obras a menudo duran una o dos horas, mientras que un Film de Danza puro que pueda sostenerse incluso por media hora es algo relativamente raro, y muchos films de danza tienen duraciones que oscilan entre tres y quince minutos. La excepción a esto es el documental de danza, en el que la variedad de momentos destacados y personas entrevistadas hace que una duración de film típica de noventa minutos pueda sostenerse. Podría ser que la longitud natural de la mayoría de las obras de danza debiera, no obstante, ser más corta. Como mencionamos al comienzo, en el capítulo Danza Poética, las coreógrafas se ven limitadas por cuestiones prácticas en relación a la programación de obras de danza en vivo, lo que hace que las obras cortas sean bastante poco viables en términos económicos. Sin embargo, en el contexto del film de danza, es sencillo programar obras más cortas en festivales, dentro de programas mixtos.

instalación Aquí una obra de danza usualmente es filmada y proyectada en un espacio (frecuentemente una galería de arte), donde puede quedar instalada por semanas o incluso meses, y esta es una herramienta potente para la coreógrafa. Por la naturaleza no amenazante de la experiencia (el público usualmente no paga, no está atrapado en un asiento y puede irse en cualquier momento), esta es una excelente forma de presentar danza a públicos no habituados a ella. La puesta a menudo íntima y la cercanía con la danza abren toda una gama de opciones, que son especialmente relevantes para la Danza Poética. Las Instalaciones también pueden realizarse con performers en vivo actuando en *loop* (a veces siendo relevadas por otras bailarinas), pero la posibilidad de contar con bailarinas actuando continuamente a menudo resulta demasiado costosa en términos económicos.

film estereoscópico La danza es palpablemente tridimensional, mientras que el film usualmente es 2D. En la vida real, con visión estereoscópica, es sencillo ver si una mano o un pie se mueve hacia nosotros – en un film 2D, lo es un poco menos. El cerebro puede utilizar muchos indicios para determinar la distancia de un objeto, tales como el tamaño, el enmascaramiento de objetos detrás suyo, la lógica en relación a la forma y extensión del cuerpo y, significativamente, las diferentes perspectivas de los dos ojos. No obstante, cuando vemos un film normal, los dos ojos reciben la misma información, lo cual contradice estos indicios, significando irónicamente que cualquier film tiene más profundidad y tridimensionalidad si lo miramos con un ojo cerrado (¡inténtenlo!). Por lo tanto, parecería natural utilizar filmación estereoscópica para la danza, y ha habido algunos documentales exitosos sobre danza que utilizan 3D, tales como *Pina* y *Cunningham*. Los films de danza estereoscópicos tienden a ser del formato de Ventana Estereoscópica (del mismo modo que la mayoría de los films estereoscópicos comerciales), donde sentimos que la pantalla es una ventana gigante hacia un mundo 3D. Incluso evitan la tentación de atravesar la pantalla para lograr efectos especiales (a diferencia de la mayoría de los films comerciales).

Para aquellas coreógrafas que deseen realizar films de danza 3D, existen tres tipos comunes de gafas para la visualización estereoscópica, y todas tienen sus pros y sus contras. Las Gafas Anaglifo son aquellas con filtros de colores rojo/cian las cuales, en cuanto a sus ventajas, son económicas y pueden utilizar un proyector de video regular y una pantalla o pared, pero en relación a las desventajas, no funcionan para todas las personas y reducen la fidelidad de color. Las Gafas Polarizadas son las utilizadas en los cines comerciales y, en cuanto a sus ventajas, son universalmente accesibles, pero requieren de proyectores muy especializados y pantallas plateadas, además de un costoso procesamiento del film. Las Gafas con Obturador son las que se utilizan con la mayor parte de aparatos de TV 3D y su ventaja es que probablemente sean las que mejor imagen brinden. Pueden utilizar proyectores de video relativamente económicos y una pantalla estándar o pared, pero su desventaja es que las lentes son extremadamente delicadas y costosas, por lo que no son apropiadas para públicos numerosos.

estereoscopía de mismo espacio En la Estereoscopía de Mismo Espacio, las bailarinas, en lugar de parecer estar detrás de la pantalla, parecen estar en el mismo espacio que el público. Estas apariciones, las cuales pueden lucir absolutamente realistas, han sido comparadas con hologramas, pero no lo son. Con un holograma, la espectadora puede moverse detrás del objeto/bailarina y ver su parte posterior, mientras que con la Estereoscopía de Mismo Espacio, el público solo puede ver a las bailarinas desde el frente. Esta limitación, en realidad, en muchos casos es una ventaja sobre la holografía, en tanto que permite a la coreógrafa controlar el aspecto de las bailarinas que desea que el público vea (como suele suceder en la mayoría de la danza teatral en vivo, aunque la danza en un teatro con disposición circular, o las obras de sitio específico, deben tomar en cuenta las diferencias extremas entre las percepciones del público). Además, con la aparición de bailarinas 3D de tamaño real surge la posibilidad de hacerlas danzar con bailarinas reales – esta idea está plagada de dificultades, a las que haremos referencia en el Estudio de Caso sobre *Arte del Movimiento.*

realidad virtual Las posibilidades de la Realidad Virtual recién están comenzando a aparecer y, a medida que las coreógrafas aprendan cómo manejar la tecnología y descubran todo su potencial, esta se volverá una característica significativa de la danza en el futuro.

directora del film Un factor a considerar con respecto al film es la controvertida pregunta sobre el Director, quien extrañamente parece ser el 'dueño' del film, por ejemplo, *The Third Man* es la película del director Carol Reed en lugar de ser de Graham Greene (quien escribió el guión). Esta anomalía parece aún más absurda cuando se trata de la danza filmada, ya que muchas de las que podrían considerarse decisiones de dirección, tales como punto de vista, ritmo de la edición, estarán dentro del ámbito de la coreógrafa. Por ello, sería sensato para toda coreógrafa que contemple realizar un film de danza dirigirlo ella misma. En el caso de que no se considere técnicamente capaz de hacerlo, debería insistir en una dirección compartida en los créditos con la directora con la que elija trabajar.

film con performance en vivo Tal como insinuamos en el capítulo sobre Diseño Visual, la combinación de film y performance en vivo es difícil y compleja. A primera vista, se podría pensar que sería ideal combinar las ventajas de ambos métodos de presentación – la emoción visceral de la performance en vivo con el detalle y la intimidad del film. No obstante, en la práctica, esta combinación a menudo puede poner de relieve las desventajas de ambos formatos y, lo que es más importante, es difícil conjugar ambos métodos, por lo que el público frecuentemente ve dos aspectos que se rehúsan a integrarse. Un problema particular aquí tiene que ver con el movimiento de cámara y la edición – en la mayoría de los films, la cámara se está moviendo en tres dimensiones y saltando de una escena a otra. Por otro lado, la visión del público de la performer en vivo es, en cierto modo, 'estática', es decir, aunque las performers se estén moviendo, nuestra percepción, nuestro punto de vista de ellas, no se mueve. Esto produce un efecto a veces nombrado como *'skating'* (patinar), donde los elementos en vivo parecen estar moviéndose sobre la superficie del material filmado de un modo desordenado, lo que anula cualquier idea de integración. Una solución a este problema es utilizar material que haya sido filmado con una cámara estática y sin edición. De modo alternativo, la cámara puede moverse en una dimensión y la coreografía puede coincidir cuidadosamente con este desplazamiento.

Una forma muy extendida del Film con Performance en Vivo que rara vez funciona consiste en proveer a una o más bailarinas con cámaras para que se filmen unas a otras en el escenario y que esta grabación sea proyectada en vivo durante la performance. Este intento de hacer más interesante a la coreografía con algunas tecnologías modernas usualmente sufre de los inconvenientes recién mencionados, combinados con una falta de preparación y perspicacia. No obstante, podríamos imaginar que con una planificación cuidadosa (donde la coreografía de las posiciones y ángulos de la cámara fuera tan precisa como la coreografía de las bailarinas), esto podría producir algunos resultados emocionantes. Tal como sucede con tantas otras cosas sobre las que hemos discutido, el éxito o fracaso de esta técnica recae en si surge o no de las necesidades del concepto inicial. Simplemente no resulta suficiente utilizar film en una performance en vivo *'porque podemos'*, sino que debe servir al propósito de completar la obra, ya sea en términos visuales o dramáticos.

attraverso i muri di bruma

20 coreografía

Hay muchas formas en las que una coreógrafa puede montar una obra, y examinaremos aquí algunas de ellas.

coreografía de acumulación Existe una historia apócrifa sobre Schubert, quien, al ser consultado sobre cómo componía, respondía que escribía una nota, y luego otra nota, y luego... En danza, es posible pensar en una Posición Clave y luego en otra y luego en un modo de ir desde la primera a la segunda, es decir, una Transición, y así sucesivamente, añadiendo continuamente Posiciones Clave y Transiciones. Este abordaje de la coreografía *Bottom-Up* (de abajo a arriba) tiene muchos méritos puesto que, en cada coyuntura, se abren nuevas posibilidades; cada paso del proceso es como una encrucijada que puede llevar a la obra en distintas direcciones. Además, los pasos que se dan frecuentemente proveen inspiración para los pasos siguientes – como dice un antiguo refrán, *'el trabajo hace al trabajo'*, es decir, el proceso de hacer la obra crea a la obra. Este método puede parecer un tanto mecánico e incluso poco artístico pero, por el contrario, puede ser liberador y genuinamente creativo. La desventaja, no obstante, es que esta técnica corre el riesgo de producir obras incoherentes y carentes de forma, sin un sentido general de significado y estructura.

coreografía top-down La Coreografía *Top-Down* (de arriba a abajo) es casi lo opuesto de la Acumulación, donde la coreógrafa comienza con una imagen más grande, que podría ser una historia, una pieza musical, una estructura, una idea política, etc., luego desarrolla los puntos principales y finalmente los detalles. Tal como sucede con la Acumulación, este método tiene ventajas y desventajas en tanto que la obra puede estar más unificada pero, a medida que nos adentramos en los detalles, la coreografía puede tender hacia patrones de movimiento comunes y recurrentes.

coreografía híbrida Este método intenta fusionar las dos formas previas de Acumulación y Coreografía *Top-Down* para obtener lo mejor de cada una de ellas. Los dos abordajes pueden progresar en forma simultánea, cada uno influenciando al otro, un poco como el modo en que una pintora mirará de cerca para crear detalle y también se alejará del lienzo para entender la imagen general.

improvisación inventiva Hemos discutido este proceso en el capítulo sobre Improvisación y simplemente reiteraremos aquí los riesgos de depender demasiado (o especialmente de forma exclusiva) de este método. No obstante, como herramienta para generar material y cuando sea usado en conjunción con otras técnicas que estamos examinando, puede ser de utilidad.

coreografía de sillón Como hemos visto, gran parte de la coreografía es creada por la coreógrafa moviéndose físicamente, o dando instrucciones a las bailarinas para que se muevan, o de hecho manipulándolas. Esto se podría equiparar un poco con la compositora trabajando en el piano, donde puede oír un *feedback* físico directo de las ideas mientras está trabajando sobre ellas. No obstante, muchas compositoras prefieren trabajar alejadas del piano, y alentaríamos a las coreógrafas a experimentar con la posibilidad de trabajar alejadas de una situación de movimiento físico, en lo que hemos dado en llamar Coreografía de Sillón. Aquí, la coreógrafa, en cualquier situación en la que se encuentre – simplemente sentada en una silla, caminando por el campo, viajando, etc., visualiza la coreografía en su mente. Algunas ventajas de este método son:

1. La coreógrafa tiene mucho más tiempo para trabajar en la pieza.

2. Es mucho más económico en términos del tiempo de las bailarinas, y ese tiempo que se ahorra puede ser utilizado ensayando y perfeccionando la obra.

3. La coreógrafa no está restringida a lo que es posible y estándar. Muchas obras maestras musicales fueron consideradas imposibles de tocar al ser vistas por primera vez por los instrumentistas y ahora son partes aceptadas del repertorio. Del mismo modo, la coreógrafa puede pedir movimientos inusuales o imposibles, que luego la bailarina encontrará el modo de ejecutar. Así, este proceso enriquece el vocabulario coreográfico.

4. La coreógrafa puede imaginar más fácilmente conceptos más amplios que los movimientos de momento a momento sobre los que discutimos en la Coreografía de Acumulación.

5. La coreógrafa se libera de la presión de tener que generar movimiento en el acto, lo cual a menudo conduce a patrones de movimiento habituales.

restricción Si bien la danza ya se encuentra fuertemente restringida, por ejemplo, por las propiedades físicas del cuerpo, por la gravedad, etc., aun así existen infinitas posibilidades en los modos de levantar simplemente una mano sobre la cabeza en términos de dirección, posiciones intermedias, velocidad, dinámicas, etc. Una cantidad tan abrumadora de opciones puede parecer intimidante, y un modo de acotar estas opciones a un número más manejable es mediante la imposición de restricciones artificiales adicionales.

Estas restricciones pueden ser físicas, por ejemplo, solo permitiendo el movimiento de una o varias partes del cuerpo; dinámicas, por ejemplo, los movimientos lentos y rápidos deben alternarse siempre; temporales, por ejemplo, cada actividad debe ser seguida por una pausa de dos segundos; pedestres, por ejemplo, la danza debe ser ejecutada mientras se lee un libro, etc.

Las restricciones pueden ser utilizadas solo para el proceso creativo en ensayos (por ejemplo, en la Improvisación Inventiva), y luego flexibilizarse en la conformación de la obra definitiva, o pueden ser mantenidas a lo largo de toda la creación y en la performance final (con el público estando al tanto de ellas o no). Además de simplificar el proceso creativo, la Restricción es útil por otras dos razones – en primer lugar, puede sacar a la coreógrafa y a las bailarinas de sus zonas de confort invalidando algunos patrones y hábitos recurrentes y, en segundo lugar, las restricciones en sí mismas pueden formar parte del carácter de la obra, y también actuar como un factor que unifica en términos estructurales.

edición Una parte vital del proceso coreográfico es la práctica de editar y revisar la obra a medida que se va haciendo. Si miramos hacia el mundo de la poesía, podemos ver que muchos poemas (por ejemplo, algunos de los de Yeats) pasaron años en gestación, siendo continuamente refinados y perfeccionados. El lujo de estos lapsos de tiempo no es una opción disponible para la mayoría de las creaciones en danza. No obstante, el tiempo que haya disponible debería ser usado para monitorear continuamente cómo los elementos de la danza están funcionando juntos y cómo pueden ser mejorados.

Un problema aquí tiene que ver con la supresión de secciones que han sido extensivamente trabajadas y ensayadas. Siempre es difícil remover partes de una obra en las que se ha invertido una gran cantidad de tiempo y energía; no obstante, la coreógrafa debe, en esos casos, ser brutal y nunca perder de vista el cuadro general. En este contexto, podemos ver una ventaja adicional de la coreógrafa de sillón: ¡una coreografía o evento que solo existe en su mente puede ser fácilmente suprimido si ya no cuadra con el concepto general!

co-coreografía A primera vista, esto parece una buena idea; dos o más coreógrafas intercambiando ideas, retroalimentándose, brindándose apoyo, compartiendo responsabilidades, etc. No obstante, deberíamos considerar esta idea en el contexto de la Danza Poética. La mayoría de la poesía, con algunas excepciones notables (como por ejemplo, los poemas japoneses Renga, parte de la Poesía Surrealista francesa, etc.), está escrita por personas individuales, y puede que esto sea así porque la mayoría de los buenos poemas tienen una claridad cristalina y una determinación de propósito que es difícil de compartir. De modo similar, con la danza poética, puede que sea más simple para una persona individual crear esta claridad; sin embargo, nunca deberíamos decir nunca y, si una colaboración funciona, ¡funciona!

método de cut-up Esta es la técnica inusual (también utilizada por escritoras y compositoras) de tomar algunos fragmentos de material coreográfico, cortarlos en secciones más pequeñas, y luego tomar esas piezas y volver a ensamblarlas. A veces el procedimiento puede producir yuxtaposiciones sorprendentes y estimular el proceso creativo. Cuando se trata de palabras y frases el proceso es sencillo, pero con fragmentos de movimiento es un poco más difícil, y algunas coreógrafas usan esta técnica con fragmentos de grabaciones en video en lugar de danza en vivo, dado que en este formato es más fácil y rápido manipular el material.

métodos de azar Aquí, la coreógrafa emplea algún proceso de azar, como por ejemplo, lanzar los dados, seleccionar una carta, arrojar una moneda, etc., para tomar decisiones sobre cualquier aspecto de la coreografía. Para dar un ejemplo simple, la coreógrafa podría numerar las partes del cuerpo del uno al seis y luego lanzar un dado para ver cuál es la parte del cuerpo que se mueve a continuación, y así sucesivamente. Tal como sucede con el Método de *Cut-Up*, esta práctica puede alejar a la coreógrafa de sus patrones de trabajo establecidos y arrojar nuevas e inesperadas posibilidades como parte del proceso creativo. Algunos coreógrafos ocasionalmente intentan incorporar esta práctica al ámbito de la performance en vivo, pero algunas desventajas de esto son la posibilidad de que el público tenga que presenciar resultados menos emocionantes y, en segundo lugar, que la mecánica del proceso parezca disruptiva y artificiosa.

comisión En el mundo de la poesía, una poeta puede elegir cuándo escribir un poema, puede hacerlo de cualquier extensión y sobre cualquier tema, es literalmente libre y puede incluso, como Emily Dickinson, simplemente guardar los poemas terminados en un cajón. La coreógrafa se encuentra mucho más restringida – hemos visto cuán difícil es crear una coreografía en total abstracción, y no conozco ninguna coreografía que haya sido realizada de este modo y luego descubierta tiempo después. En el mundo real, muchas obras de danza son comisionadas por compañías de danza o por bailarinas, y la coreógrafa se enfrenta entonces con un conjunto de restricciones en cuanto a técnica, habilidad, cantidad de bailarinas, estilo de la compañía, duración, etc. Tal como acabamos de ver cuando hablamos sobre Restricciones, estas pueden ser una bendición, y la buena coreógrafa puede tomar el desafío de trabajar con nuevas bailarinas, sus técnicas y, en particular, sus personalidades, para producir una obra que de otro modo no se le hubiese ocurrido.

reinvención Esto es cuando una coreógrafa toma una pieza de su trabajo previo (también podría ser la obra de alguien más, pero aquí hay cuestiones sobre permiso, créditos, etc., que necesitan ser cuidadosamente consideradas) y la reelabora por razones varias. Esto puede ir desde la simple recreación de una pieza para un nuevo grupo de bailarinas (donde la intención es duplicar la obra original del modo más fiel posible) hasta los casos más extremos de trabajar el material al punto de que el original sea prácticamente irreconocible. Entre esos dos extremos, hay muchas posibilidades, y una de las más importantes es la Reinvención de la obra escénica para la cámara, donde la nueva versión puede aprovechar al máximo todas las posibilidades fílmicas, tal como vimos en el capítulo Film. Algunos beneficios de la Reinvención son que las obras previas pueden madurar a través del tiempo y, en combinación con una mayor experiencia de la coreógrafa, sugerir nuevas posibilidades manteniendo al mismo tiempo la frescura anterior. Otra posibilidad es la de rescatar material interesante que haya quedado en el olvido a causa de demandas de presentación anteriores, por ejemplo, una pieza para cien bailarinas puede ser difícil de repetir años más tarde, pero si contiene material que valga la pena, puede ser reinventada como un dúo. También, si consideramos al trabajo creativo en el sentido más abstracto de las ideas y las formas, puede ser que la reinvención permita la puesta a prueba de varios formatos y lenguajes para encontrar aquellos que mejor se adapten a expresar esas intenciones.

coreógrafas que no danzan La gran mayoría de los coreógrafos son bailarines profesionales o ex bailarines. No obstante, si miramos al mundo paralelo de la ópera, podemos ver que las óperas generalmente no son escritas por ex cantantes de ópera – si así fuera, no tendríamos a Puccini o a

Wagner y estaríamos oyendo óperas de Luciano Pavarotti y Maria Callas. Limitando el conjunto de potenciales coreógrafas a bailarinas, la danza podría estar perdiéndose de una gran cantidad de talento coreográfico. Así como las habilidades (vocales, performáticas, de memoria, interpretativas) necesarias para ser una cantante de ópera son muy diferentes de aquellas (creativas, estructurales, inventivas) requeridas para ser una compositora de ópera, del mismo modo los talentos necesarios para las bailarinas pueden no ser los mismos que para las coreógrafas. También, el entrenamiento en ambas esferas idealmente debería ser distinto y estar claramente enfocado en el desarrollo de esas habilidades diferentes (como suele ocurrir en las escuelas de música). Lo que podría fomentar que haya más coreógrafas que no danzan sería una mayor cantidad de cursos educativos que se focalicen exclusivamente en coreografía y quizás incluso excluyan el entrenamiento práctico en danza.

coreógrafa performer Muchos coreógrafos crean obras para ser interpretadas por ellos mismos. Esto parecería sumamente sensato; ¿quién sabe cómo interpretar su obra mejor que ellos y quién comprende tan bien los sutiles matices e intenciones de la pieza? No obstante, hay desventajas. En primer lugar, el acto de formular y clarificar la obra y las estructuras con el fin de presentarlas de manera clara a las bailarinas y bailarines puede ser una parte esencial del proceso coreográfico. También existe una tendencia hacia la Improvisación Inventiva y la Improvisación, con todos los problemas que estas plantean. Finalmente, la mirada externa objetiva a menudo se pierde. Para aliviar estos problemas, recomendaríamos fuertemente registrar los ensayos en video y observar cuidadosamente los resultados. Debería recordarse: muchos movimientos son más interesantes de ejecutar que de ver. Además, la práctica de la Coreografía de Sillón puede ayudar a mantener el control de la estructura general, y es esencial invitar a colegas que observen y critiquen la obra a medida que esta se realiza.

material no dancístico Hemos visto en los distintos capítulos que una coreografía puede tomar como punto de partida una amplia variedad de materiales, incluyendo obras de teatro, libros, poemas, música, canciones, films, obras de arte visual, etc. Estos pueden ser simplemente puntos de partida para el desarrollo o permanecer como una parte integral de la obra hasta su culminación y performance. También hemos visto que algunos coreógrafos sienten una aversión hacia esta dependencia de fuentes externas, pero creemos que si la coreografía es robusta y coherente en sí misma, esta dependencia puede ser transformada en una colaboración equitativa y fructífera.

colaboración Con respecto al Material No Dancístico, no hace falta decir que si la coreógrafa tiene el lujo de trabajar y colaborar con escritoras, artistas visuales, compositoras, diseñadoras lumínicas, realizadoras cinematográficas, etc., esto brinda nuevas oportunidades para el diálogo y el codesarrollo a lo largo del proceso creativo que no están disponibles cuando se utiliza material que ya se encuentra realizado de antemano.

taller Esta es una herramienta muy útil, por lo que le hemos dedicado su propio capítulo.

análisis Es esencial para la aspirante a coreógrafa observar y analizar de modo crítico las coreografías de otras personas. Esta investigación puede tener lugar viendo una performance en vivo pero usualmente es más sencillo hacerlo viendo un registro en video, en tanto que las secciones se pueden repetir, pausar, ralentizar, etc. A menudo, hay tantas cosas sucediendo al mismo tiempo que puede ser que *los árboles nos impidan ver el bosque coreográfico*; en este caso, resulta útil filtrar la experiencia. Esto se puede realizar haciendo foco en cualquiera de los aspectos que hemos resaltado hasta ahora y viendo cómo esa técnica funciona en esa obra. Por ejemplo, se podría observar cómo una obra en particular utiliza oscilaciones, o acentos, o unísono, etc. Las obras observadas no necesariamente tienen que estar bien hechas; se puede aprender mucho sobre lo que no hay que hacer a partir de los errores y fallas. Esto siempre es útil; no obstante, teniendo en cuenta todo esto, recomendaría centrarse en las mejores coreografías, ya que incluso estas tienen margen para mejorar y, en general, son más inspiradoras. Algunas coreógrafas y coreógrafos cuyo trabajo toca varios aspectos poéticos sobre los que vale la pena realizar un seguimiento son: Maurice Béjart, Kazuo Ohno, Crystal Pite, Ben Duke, Shobana Jeyasingh, Mats Ek, Martha Graham, Bronislava Nijinska.

jenseits

21 taller

La práctica de Taller consiste en la exploración de ideas y conceptos sin la presión necesaria de producir una obra terminada. Esto puede ser una gran fuente de inspiración para obras futuras, y por ello recomendaríamos registrar los talleres en video de modo tal que cualquier ocurrencia útil pueda ser posteriormente estudiada y no sea olvidada. Idealmente, la práctica de Taller debería ser divertida, y por esta razón, puede ser buena idea introducir en el proceso elementos que tengan que ver con los juegos y la competencia. También es importante permitir el máximo aporte creativo por parte de todas las personas participantes. A menudo también es útil dividir al grupo de bailarinas en dos, con una mitad interpretando mientras que la otra mitad observa y critica (luego invirtiendo los grupos). Esto beneficia a ambos grupos, en tanto que quienes son observadas ganan un sentido de propósito y experiencia performática, mientras que quienes observan desarrollan habilidades críticas y pueden registrar dificultades y posibilidades sobre las que trabajar cuando sean ellas las que estén interpretando. También puede ser útil para la motivación del grupo incentivar el aplauso tras las minipresentaciones.

La práctica de Taller es ideal para la enseñanza, pero también puede ser beneficiosa en situaciones profesionales, donde se pueden desarrollar ideas y formar lazos entre las bailarinas sin el estrés de un ensayo regular. La forma más útil de Taller es el Taller Focalizado, donde una técnica específica es usada con exclusividad, y casi cada uno de los trescientos conceptos destacados en este libro podría conformar la base de este tipo de sesión de taller. Hemos escogido once ejemplos tomados de diferentes capítulos del libro para mostrar cómo los conceptos pueden ser expandidos.

1 posición clave en el aire Se pide a las bailarinas que, una por una, salten en línea recta hacia arriba diez veces y que en la cumbre de cada salto adopten una Posición Clave diferente. Luego de que todas las bailarinas hayan completado la tarea, votan sobre cuál conjunto les ha gustado más. Entonces todas las bailarinas aprenden ese conjunto y ejecutan diez saltos al Unísono.

2 transición de reseteo Aquí, el grupo decide una Posición Clave Inicial (puede ser una Posición Clave Neutra o algo más inusual). Todo el grupo adopta la Posición Clave Inicial y, a partir de un pie verbal dado por una de las bailarinas, comienzan a moverse de forma independiente alejándose de esa posición. Un segundo pie verbal es dado, y todas las bailarinas inmediatamente ejecutan una Transición de Reseteo volviendo a sus posiciones originales. Luego otro pie y el ciclo se repite tantas veces como se desee. Los pies deberían ser variados en longitud, algunos muy cortos y otros más largos. Esto puede resultar más divertido utilizando un formato de *'estatuas musicales'*, donde el grupo se encuentra ubicado detrás de una bailarina y deben resetearse cada vez que esa bailarina se voltee a verlas.

3 patrón entrelazado Las bailarinas se colocan en pares, cada par mirándose entre sí. La más alta de las dos realiza una transición, y tan pronto como esta termina, la otra bailarina realiza una Transición, con la única condición de que no puede ser realizada con la misma parte del cuerpo que utilizó la bailarina anterior. Al final de la segunda Transición, la primera bailarina se mueve nuevamente y así sucesivamente con una serie de movimientos sin corte.

4 el cuerpo de otra bailarina Una bailarina se encuentra de pie, con las otras bailarinas rodeándola en un semicírculo, todas con sus ojos al nivel del hombro de la bailarina que se encuentra en el centro. La bailarina líder nombra una parte del cuerpo (por ejemplo, nariz, muñeca, rodilla, etc.), y las otras bailarinas lentamente se mueven hacia arriba o hacia abajo para ubicar sus ojos al nivel de la parte del cuerpo nombrada. El modo en que se mueven puede ser independiente, pero sus ojos deben moverse hacia arriba o hacia abajo al mismo ritmo.

5 ritmo del texto Las bailarinas son invitadas a compartir su poema corto favorito, o una estrofa de un poema más largo. Cada bailarina le da el poema elegido a una segunda bailarina, quien lo lee lentamente mientras una tercera bailarina realiza un movimiento por cada palabra.

6 forma narrativa Cada bailarina piensa en un largometraje. Luego, una por una, sin decir cuál es la película, la representan en exactamente veinte Transiciones. Las otras bailarinas deben intentar adivinar cuál es la película en la que se pensó inicialmente.

7 manipulación a distancia Una bailarina es designada como la directora, y el resto de las bailarinas como su orquesta. La bailarina principal realiza gestos de dirección para manipular a las otras bailarinas, como grupo y también por separado, como solistas individuales.

8 unísono de ola Las bailarinas se paran en un círculo mirando hacia adentro del mismo y una bailarina designada realiza una Transición de su elección. La bailarina ubicada a su derecha debe copiar esta transición tan rápido como sea posible, y luego la bailarina a la derecha de esta última. Cuando la Transición haya completado el círculo, la bailarina designada realiza una nueva Transición. Después de un tiempo, la bailarina designada puede comenzar a introducir Transiciones adicionales antes de que los movimientos anteriores hayan completado su recorrido, de modo que puede haber varias transiciones diferentes circulando al mismo tiempo. En cierto punto, la bailarina designada deja de introducir nuevas Transiciones pero toma la que viene hacia ella.

9 estilización Se le pide a cada bailarina que nombre un Movimiento Pedestre, que pueda ser ejecutado en el espacio y con los materiales que se encuentren disponibles. Las bailarinas entonces votan por la sugerencia más inusual, y la persona que la propuso ejecuta el movimiento del modo más normal posible. Luego cada bailarina sugiere un modo de estilizar al movimiento para hacerlo más 'danza'. Se elige la estilización más efectiva, y el grupo entero aprende el movimiento y lo ejecuta repetidamente al unísono.

10 movimiento izquierda/derecha Cada bailarina piensa en un modo de desplazarse de un lado al otro del escenario (sala) y luego le enseña a la mitad del grupo cómo ejecutar el desplazamiento, de modo que puedan realizarlo al unísono. La mitad del grupo realiza entonces la progresión, primero desde la Izquierda hacia la Derecha y luego precisamente lo mismo de Derecha a Izquierda. La otra mitad vota sobre cuál dirección fue la más efectiva para esa secuencia particular.

11 rostro coreografiado Las bailarinas se encuentran en pares, y una de ellas inventa un patrón de diez Transiciones usando el cuerpo entero. La segunda bailarina ahora debe copiar ese patrón y todas las Transiciones, pero solo con movimientos del rostro – no se pueden mover otras partes del cuerpo.

Como dijimos, estos son solo algunos ejemplos – casi cualquiera de los más de trescientos minitópicos en este libro pueden ser expandidos de forma similar en ejercicios parecidos a estos.

22 apéndice

Estas son algunas Posiciones Clave, Transiciones y Patrones más raros e inusuales, que pueden ser útiles para un estudio más avanzado.

posición clave simétrica no espejada Esto es cuando el espejado es más una repetición que un reflejo. Consideremos rotar un pie para que apunte hacia el lateral; el espejado normal demandaría rotar el otro pie en la dirección opuesta (primera posición de ballet). Sin embargo, si giramos el otro pie de modo tal que ambos apunten en la misma dirección, tenemos una Posición Clave Simétrica No Espejada, adorada por los antiguos pintores egipcios (e introducida en la danza por Nijinsky y otros).

posición clave simétrica cruzada Esto es cuando debido a las limitaciones del cuerpo humano, el espejado no es exacto, por ejemplo, ubicando los pies paralelos y tocándose entre sí pero con el pie izquierdo del lado de la mano derecha. Dado que las piernas no pueden pasar una a través de la otra, una debe doblarse en torno a la otra.

posición clave simétrica vertical Dado que el cuerpo solo es simétrico en términos de izquierda/derecha y no lo es en términos de arriba/abajo, es imposible lograr una verdadera simetría vertical; no obstante, se pueden lograr efectos simétricos verticales parciales utilizando los brazos y piernas (ver Estudio de Caso 42: *Jenseits*).

posición clave simétrica grupal Como ya se ha mencionado, las limitaciones del cuerpo humano restringen las posibilidades simétricas de una única bailarina a sus miembros y extremidades. No obstante, si contamos con dos o más bailarinas, las oportunidades de espejado pueden ahora abarcar al cuerpo entero, incluyendo la cabeza y el torso e implicando no solo la flexión o rotación, sino también la torsión de partes del cuerpo.

posición clave de bucle Este es un caso particular de Posición Clave Geométrica, en la que la bailarina realiza una forma circular con la intención específica de pasar otra parte del cuerpo a través del bucle. Además de ser a menudo visualmente muy interesante, también puede tener implicancias dramáticas significando contorsión y esfuerzo.

posición clave anudada Esta posición suele ser el resultado de Posiciones Clave de Bucle, en las que la bailarina acaba en una posición compleja, fuertemente comprimida y a menudo es utilizada para significar desesperanza.

posición clave indicada externamente Cualquier punto significativo en el material que acompaña a la danza, ya sea musical, textual, lumínico, etc., tenderá a focalizar la atención en ese momento y por ello estos puntos frecuentemente se constituyen en Posiciones Clave. En la música esto puede estar dado por un acorde fuerte, el comienzo de una melodía, una cadencia, etc., o en un texto, el comienzo de una oración, una palabra importante, etc. Una ventaja de las Posiciones Clave Indicadas Externamente y, en particular, de aquellas que utilizan música es que usualmente es obvio cuando estas ocurren en la Línea de Tiempo.

posición clave múltiple Si imaginamos dividir al cuerpo de la bailarina en dos o más partes (por ejemplo, mitad superior/mitad inferior, lado derecho/lado izquierdo, etc.), podemos imaginar que ciertas posiciones importantes están continuamente retornando a una de esas partes mientras diferentes posiciones están sucediendo en las otras. Es posible simplemente describir al cuerpo entero en cada punto, pero puede que sea más sencillo y económico tratar al cuerpo como dos o más entidades separadas.

posición clave de múltiples bailarinas Si contamos con dos o más bailarinas, podemos describir sus Posiciones Clave individualmente. No obstante, si sus acciones están relacionadas, por ejemplo en unísono, movimiento conjunto, soporte, etc., puede que sea más sencillo tener una única Posición Clave que describa al grupo completo (esto fue discutido en los capítulos de Interacción y Unísono).

posición clave fija Aquí, una posición del cuerpo se mantiene fija por una duración sustancial o incluso por toda la obra. Obviamente, una bailarina solista que permanece inmóvil durante una danza o incluso durante una sección considerable puede resultar difícil para el público; sin embargo, en situaciones grupales, hacer que una o más bailarinas se mantengan fijas (en efecto una forma de estatua) puede realzar los movimientos de las otras bailarinas. Con una única performer, existe también la posibilidad de fijar solo parte del cuerpo de la bailarina, por ejemplo, tal como a veces se encuentran fijos la parte superior del cuerpo y los brazos en las danzas irlandesas, o incluso los abrazos fijos en mucha de la danza de salón. Esta Posición Clave Fija parcial puede producir efectos emocionantes en tanto que enfatiza un área del cuerpo de la bailarina que puede entonces ser movida como una sola unidad (véase la discusión sobre Transiciones de Bisagra).

posición de mano fija Aquí, tenemos un tipo específico de Posición Clave Fija en la que las posiciones de las manos se encuentran fijas por una sección, siendo independientes del movimiento de los brazos. Para más información véase el capítulo Rostro/Manos/Hombros.

posición clave de conjunto restringido Esto es cuando en una sección se utiliza exclusivamente un conjunto limitado de Posiciones Clave y por lo tanto debe ser repetido. Restringir las opciones es una de las formas más productivas de desarrollar coreografía, y aquí solo un pequeño número de Posiciones Clave es usado pero no necesariamente reapareciendo en el mismo orden. Por ejemplo, seis Posiciones Clave generarán posiblemente unas treinta Transiciones sin siquiera incluir la posibilidad de modificaciones de dinámica. Este conjunto estrecho brinda enorme unidad a la sección mientras que aún permite una gran flexibilidad y variedad.

posición clave omitida En la Posición Clave Omitida, la coreógrafa crea la ilusión de una Posición Clave faltante entre dos Transiciones, usualmente superponiendo ligeramente las dos transiciones. Aunque esto en realidad es una ilusión (podríamos simplemente decir que la Posición Clave es lo que habría sucedido sin la superposición o si queremos ser más precisos, definir dos Posiciones Clave, es decir, al comienzo de la segunda transición y al final de la primera transición) el efecto de la sutil Posición Clave Omitida puede ser hipnótico.

transición de bisagra Si imaginamos a una puerta abriéndose, uno de los lados se mueve mucho, y el otro lado más cercano a las bisagras no lo hace. Entonces, la Transición de Bisagra es una especie de movimiento de giro en el que algunas partes del cuerpo se mueven muy poco y otras partes mucho más – para clarificar esta transición, es útil que las partes que están en movimiento se encuentren fijas, de modo tal que se muevan como una unidad.

transición geométrica Aquí, la bailarina entra en, o parte de, una Posición Clave Geométrica. Desde la Posición Clave Geométrica, la bailarina puede transicionar de regreso a una Posición Clave no Geométrica o a una Posición Clave Geométrica diferente que puede mantener la misma identidad geométrica que la primera o transformarse de una forma a otra. Por ejemplo, la bailarina toca sus dedos por encima de su cabeza, creando una forma circular con sus brazos – luego ella puede llevar sus manos hacia adelante y bajarlas a su cintura manteniendo el círculo, o alternativamente mantener las manos sobre su cabeza pero quebrando los codos y llevando sus dedos a un ángulo recto para transformar el círculo en un rombo.

transición de delineado Este también es un tipo de Transición Geométrica, pero difiere de la Transición Geométrica normal en que esta no involucra una Posición Clave Geométrica. Aquí, una parte del cuerpo (frecuentemente la mano o el pie pero posiblemente cualquier otra parte) se mueve por el aire para delinear alguna figura o forma. Debido a la construcción del cuerpo, estas formas frecuentemente son arcos, círculos o semicírculos, pero prácticamente cualquier figura es posible, incluyendo cuadrados, triángulos e incluso palabras.

transición múltiple Este es el equivalente en movimiento de las Posiciones Clave Múltiples y, del mismo modo que allí, nos encontramos en una situación en la que es conveniente tratar al cuerpo como dos o más partes independientes moviéndose individualmente. Como en el juego infantil de frotarse la panza mientras nos damos palmaditas en la cabeza, estas transiciones pueden ser difíciles de ejecutar. No obstante, pueden ser muy hermosas en sí mismas, aludiendo al mismo tiempo a posibilidades narrativas o dramáticas.

transición simultánea Este es un tipo de Transición Múltiple en la que la escala temporal de la Transición en una parte del cuerpo es diferente a la de la transición simultánea que está sucediendo en otra región. Muy a menudo, la transición más rápida es repetida por toda la duración de la transición más lenta. Esto puede tener un efecto casi mágico por medio del cual el público se vuelve realmente consciente del tiempo.

transición ornamental Este es un subconjunto de la Transición Simultánea donde tenemos un movimiento dominante, pero este es modulado con movimientos mínimos para agregarle interés (equivalentes musicales de esto podrían ser las notas de adorno, trinos, grupetos, etc.). Usualmente es más fácil describir estas pequeñas transiciones sin referencia a las Posiciones Clave.

transición inconsciente Esta es una transición en la que una parte del cuerpo se mueve sin que la bailarina sea consciente de ello – como si la parte hubiera cobrado vida propia. Dado que lo normal es que las personas estén en control de sus cuerpos, puede conllevar cierto esfuerzo comunicar este concepto al público, usualmente mediante la expresión y la mirada de la bailarina, quien tardíamente lo nota y simula sorpresa o molestia respecto de la parte que se mueve. Si se lo hace bien, puede resultar muy gracioso.

transición de múltiples bailarinas Como en las Posiciones Clave de Múltiples Bailarinas, cuando contamos con dos o más bailarinas, podemos describir sus Transiciones individualmente. No obstante, si sus acciones están relacionadas, por ejemplo en unísono, movimiento conjunto, soporte, etc., puede que sea más simple tener una única Transición que represente al grupo completo.

transición de conjunto restringido Esto es cuando en una sección se utiliza exclusivamente un conjunto limitado de Transiciones y se encuentra estrechamente relacionado con la idea de las Posiciones Clave de Conjunto Restringido. Debe recordarse que las Posiciones Clave de Conjunto Restringido pueden generar un número mucho mayor de Transiciones – volviendo a nuestra geometría, un conjunto de seis líneas unidas generará siete puntos, mientras que un conjunto de seis puntos puede generar diecinueve líneas diferentes. Esta práctica, como todas las restricciones, puede ser una fuerza poderosa en la generación de material y también es fuertemente unificadora.

transición en línea recta Como ya mencionamos, la transición más sencilla no es una línea recta sino una curva, por el modo en que el cuerpo se encuentra articulado. No obstante, utilizando múltiples articulaciones, es posible mover una parte del cuerpo en línea recta. Uno de los modos más simples de lograr Transiciones en Línea Recta es a través del uso de Marcadores Espaciales planos tales como paredes, el suelo, etc., ya sea trazándolos o rozándolos.

transición de facilitación A fin de ejecutar una Transición en una parte del cuerpo, es muy común que muchas otras partes del cuerpo tengan que ajustarse para hacer posible esa Transición, por ejemplo, implicando cambios de peso y equilibrio. Estas Transiciones adicionales agregan interés y humanidad al movimiento, pero normalmente no necesitan ser descritas individualmente. La Transición inicial es todo lo que necesita ser especificado (aunque en casos en los que las Transiciones de Facilitación sean significativas, también pueden ser detalladas).

transición simpática Aquí, cuando una bailarina realiza una transición, una o más bailarinas siguen su movimiento (usualmente en un modo ligeramente reducido y frecuentemente con cierto *delay*), tal como las cuerdas de un instrumento musical vibran simpáticamente cuando su nota es tocada. Además de amplificar el movimiento original, este proceso puede indicar en un sentido dramático o narrativo que las otras bailarinas son influenciadas por la bailarina líder, o que le brindan apoyo a esta. Una única bailarina solista también puede usar Transiciones Simpáticas, en las que una parte del cuerpo toma los movimientos de otra parte (por ejemplo, los ojos siguiendo a la cabeza), y existe aquí una superposición significativa con las Transiciones de Reflejo y las Transiciones de Facilitación.

transición mecánica Las Transiciones Mecánicas cumplen un rol importante en muchos tipos de danzas urbanas pero también ocurren en la danza contemporánea y en el ballet, especialmente cuando una marioneta o figura mecánica está siendo representada, por ejemplo en el ballet *Coppélia*. Hay tres formas en las que las transiciones consiguen este efecto. La primera consiste en que la parte del cuerpo se mueve a una velocidad constante y, en lugar de ralentizarse al final, simplemente se detiene, lo que da a los movimientos una cierta calidad abrupta. Este final repentino a veces es enfatizado por una técnica conocida como *Locking* (Cierre), en la que la performer inserta una sacudida al final del movimiento como si una parte mecánica estuviera encajando en su sitio. En segundo lugar, un tipo particular de quietud antinatural sin rastro alguno de movimiento puede ser insertada entre transiciones. En tercer lugar, y relacionado con esta última idea, el movimiento general puede ser fragmentado en las partes que lo componen, frecuentemente enfatizando los planos horizontal y vertical. Por ejemplo, en lugar de elevar la mano en una diagonal definida, la mano se moverá horizontalmente por un trayecto corto, luego hacia arriba verticalmente, luego horizontalmente, etc., en una especie de movimiento escalonado. Estudiar y practicar estos tipos de Transiciones puede ser útil para posibilitar a las bailarinas ejecutar sus opuestos, es decir, movimientos menos robóticos y más humanos, que suelen ser la intención de la coreógrafa.

transición indirecta Si imaginamos a una bailarina trazando una forma espiral con su dedo índice, nos estamos moviendo desde la Posición Clave inicial a otra, pero en lugar de hacerlo directamente, estamos tomando una ruta indirecta. Aquí, estamos casi a mitad de camino entre una Transición y una Acción en tanto que tenemos un punto inicial y final, y una duración, pero necesitamos información adicional acerca del modo en que se lleva a cabo la Transición. De algún modo, todas las Transiciones son Transiciones Indirectas, pero es mejor reservar el término para aquellas que puedan ser definidas por medio de algunas palabras descriptivas (por ejemplo, espiral, ondulante, irregular, etc.).

transición escalonada Si consideramos aquí Palabras o Notas como Posiciones Clave (también podríamos compararlas con Transiciones), podemos ver que aunque en la danza nos movemos desde una Posición Clave a la siguiente a través del tiempo, en el texto y en la música pasamos directamente de una nota o palabra a la siguiente (es posible deslizarse de una nota a otra en, supongamos, un violín o la voz – un glissando – pero esto es bastante poco común). No obstante, es posible aproximarse a este efecto más abrupto en la danza mediante el uso de Transiciones Escalonadas, las cuales pueden ser vistas como una forma extrema de Transiciones Separadas. Hemos visto que no es posible moverse instantáneamente de una Posición a la siguiente – pero en las Transiciones Escalonadas, las Posiciones Clave son sostenidas y las Transiciones minimizadas y ejecutadas tan rápidamente como sea posible. Esto brinda un movimiento muy estilizado que enfatiza fuertemente las Posiciones Clave.

transición de sacudida Esta es otra forma más extrema de las Transiciones Separadas, donde el movimiento solo toma una pequeña fracción del tiempo entre Posiciones Clave. Esto produce un estilo de movimiento muy punzante y dramático, a menudo utilizado para indicar nerviosismo y tensión. La Transición de Sacudida puede ser pensada como similar a la recientemente discutida Transición Escalonada, pero la diferencia sutil reside en que en la primera, las Transiciones son enfatizadas, mientras que en la última las Posiciones Clave son las que predominan.

transición de reflejo Ninguna parte del cuerpo es una isla, y cuando una parte se mueve, tiende a tener repercusiones en otra parte, especialmente si el movimiento es rápido o sacudido. Estas Transiciones de Reflejo, tal como las Transiciones de Facilitación, usualmente no necesitan ser especificadas pero se puede hacerlo cuando sean importantes. Estas suelen sumarse a la coreografía, pero en aquellos casos en los que resulten distractivas, pueden ser suprimidas incrementando la tensión en las partes que sean susceptibles de moverse.

transición decreciente Aquí, tenemos un movimiento explosivo que, en lugar de detenerse súbitamente, disminuye gradualmente. El efecto es un poco como una reverberación o eco en un sonido y, del mismo modo que en ese caso, contribuye a la calidad dinámica de la transición.

patrón en sus marcas, listos, fuera Este Patrón es una versión particular del Patrón de Preparación/Ejecución y toma su forma de la preparación para el comienzo de una carrera. La diferencia aquí es que la preparación toma la forma de dos secuencias más cortas (a menudo relacionadas), y la parte de la ejecución usualmente se extiende mucho más (como la carrera a la que hace referencia). Este patrón es adorado por compositores por su capacidad para generar una acumulación de tensión que luego puede ser liberada en un flujo de música, como en el comienzo de *Eine Kleine Nachtmusik*, de Mozart. En danza, el efecto funciona igualmente bien.

patrón de pregunta y respuesta Este es un patrón en dos secciones que bien puede ser corto, por ejemplo constando de dos o tres transiciones, o relativamente largo y complejo. En general, la respuesta es de una longitud similar a la pregunta o más corta y frecuentemente contiene elementos similares, tal como puede suceder con una pregunta y respuesta habladas, por ejemplo, *'¿cuánto mide la mujer?' '¡la mujer mide dos metros!'*. No obstante, los movimientos repetidos a menudo ocurren en un orden diferente y con la pregunta utilizando movimientos ascendentes hacia el final. Véase también la sección Llamada y Respuesta en el capítulo sobre Interacción.

patrón de bolero Este tipo de Patrón de Ostinato toma su nombre del *Bolero* de Ravel, donde el patrón repetitivo gradualmente se amplifica y se vuelve más insistente en el curso de la obra. En danza, esta Amplificación de Patrón puede darse a través de versiones más grandes de las Transiciones en el Patrón y también por medio de que el Patrón sea tomado por más y más bailarinas.

oscilación de bouquet Este es un patrón de oscilación en el que una Posición Clave alternante es fijada espacialmente, pero las Posiciones Clave intermedias son variadas. Aquí, las Posiciones Clave que intervienen parecen unirse, formando un Patrón alternativo. El nombre deriva de un ramo de flores, donde la posición clave fijada es como la base de los tallos atados, y las posiciones clave alternantes son como las cabezas de las flores.

oscilación libre Aquí, tenemos una configuración similar a la del patrón de Oscilación de Bouquet, pero ambos conjuntos de Posiciones Clave (impares y pares) no se encuentran espacialmente fijados. Dado que nos acercamos a la idea de las Posiciones Clave Auxiliares, ¿cómo infunde la coreógrafa en la mente del público la idea de que tenemos una oscilación? El modo más simple es hacer que las Transiciones tengan la misma duración y agrupar las Posiciones Clave impares juntas espacialmente y las Posiciones Clave pares juntas también. Existe una contraparte musical de esto que es adorada por los compositores barrocos (por ejemplo J. S. Bach), donde una única línea oscila entre notas más agudas y más graves y parece producir dos melodías simultáneamente – una especie de contrapunto solista.

oscilación interrumpida Esto es cuando una oscilación continúa pero es ocasionalmente interrumpida por otras Transiciones o Posiciones Clave antes de seguir adelante. Las Posiciones Clave y Transiciones que interrumpen a menudo parecen relacionarse entre sí y pueden formar un Patrón alternativo, produciendo de este modo una especie de contrapunto.

patrón de transformación Esto es cuando un patrón repetido es variado gradualmente en cada repetición hasta que se convierte en un nuevo patrón. Para que esto no parezca una simple variación cíclica, los patrones de comienzo y final deben ser de algún modo identificables. Por ejemplo, podemos tener, para comenzar, una bailarina dando una bofetada a otra y, al final de la secuencia, esa bailarina acariciando el rostro de la otra, con una serie de movimientos intermedios yendo gradualmente de una Transición a la otra.

patrón de eco Aquí, tenemos una serie de Posiciones Clave y Transiciones que luego es repetida pero de forma menos prominente (del mismo modo que un eco normal usualmente es más suave), generalmente haciendo que las Transiciones sean más cortas pero también posiblemente más lentas. El eco puede consistir en una única repetición o dos o más repeticiones, cada una atenuándose de algún modo respecto de la anterior. Es común que los Patrones de Eco sean utilizados más de una vez en una obra, dado que esto otorga al público tiempo para reconocer que este patrón está siendo usado.

patrón relacionado Esto se refiere a un patrón de Transiciones y Posiciones Clave relacionado con un objeto, persona, idea abstracta, etc. El patrón reaparece en varios puntos de la obra, cada vez que se hace referencia a ese concepto. Esta técnica es más relevante para estructuras que son desarrolladas a través de narrativa u obras que utilizan texto.

23 estudios de caso

Los siguientes estudios de caso están basados en fragmentos de mis coreografías de los últimos doce años. Algunos ejemplos han sido escogidos para ilustrar una o dos ideas específicas del texto previo, mientras que otros intentarán brindar una visión general sobre cómo los diversos elementos funcionan juntos. Cada estudio es acompañado por un video de la obra.

Algunos estudios serán sobre extractos de piezas más grandes, y esos estarán precedidos por una breve introducción a la obra completa para brindar contexto y discutir elementos comunes en esta. Cada estudio resaltará los principales puntos abordados (entre paréntesis luego del título). Asimismo se incluyen algunos de los poemas de Billy Cowie utilizados en estas obras, los cuales fueron traducidos al español por Clara García Fraile. Luego de los extractos en video, se puede encontrar la obra completa *Tangos Cubanos*, junto con un documental sobre su realización.

Son necesarias unas palabras de advertencia sobre los Estudios de Caso – como dijimos en el primer capítulo, parafrasear danza poética en palabras debería ser muy difícil, lo cual es, de algún modo, lo que estamos intentando hacer aquí. Si los Estudios de Caso solo consistieran en los siguientes textos, esta paráfrasis prácticamente carecería de sentido; no obstante, en conjunción con los videos de las piezas de danza, los textos escritos pueden transformarse en flechas que señalan hacia dónde mirar y a qué prestar atención. Entre los textos (con lo que puede ser expresado en palabras) y la danza propiamente dicha (con lo que no puede ser expresado en palabras), podemos presentar algo del cuadro general.

También somos conscientes de que en el capítulo Texto hemos descalificado enfáticamente los aspectos de *spoiler* del Programa de Mano; aquí, estos pequeños análisis podrían ser vistos también como *spoilers* – para aquellas personas a quienes les preocupe esto, ¡sugeriríamos que vean los videos primero!

Los links a los videos pueden encontrarse en la página web:

https://www.billycowie.com/DanzaPoeticaEstudiosDeCaso.html

Algunos de los videos son estereoscópicos (como se indica en la página web) y pueden ser vistos de este modo si la lectora posee gafas anaglifo rojo/cian. De no ser así, las obras igualmente pueden ser vistas normalmente.

tangos cubanos

(diseño visual/forma narrativa/voz en off/reinvención/vestuario con diseño visual/recitativo-aria/distracción/documental)

Tangos Cubanos es un ballet con 20 bailarinas y bailarines comisionado por *Danza Contemporánea de Cuba* en 2015, que fue revisado en 2016 agregando dos nuevas secciones y subtítulos en alemán para una gira por Europa. La pieza posee una Forma Narrativa que es contada a través de una serie de poemas en español referentes a un encuentro romántico malogrado, visto a través del prisma de los duros estándares de vida en La Habana actual. La estructura general de la obra se asemeja a una serie de Recitativos-Arias con la Voz en Off de las historias sucediendo en Apagón, y esta Distracción resolviendo pulcramente el problema del montaje de las piezas escenográficas de gran escala en la oscuridad.

El conjunto de bailarinas y bailarines se encuentra inmerso en vastos panoramas con Diseño Visual realizado por la artista alemana Silke Mansholt, mediante lo cual sus movimientos son clarificados y realzados por los elementos visuales a través de los cuales se están moviendo. Los fondos figurativos y estilizados también proveen las imágenes estampadas en los Vestuarios, unificando de este modo a la obra.

Asimismo, se creó una versión 3D de la obra, lo que requirió de una Reinvención de la coreografía para solo una bailarina y un bailarín. Los extractos en video son una mixtura de la función original y de la recreación en formato de videoinstalación. British Council comisionó un Documental especial sobre la realización de la obra con entrevistas a la compañía, material filmado de ensayos y extractos de las funciones en vivo. El documental explora en cierto detalle la transformación de una compañía que previamente estaba mucho más ligada a estilos de danza altamente enérgicos y ahora es capaz de ejecutar coreografías minimalistas y sutiles.

01: historia triste de *Tangos Cubanos*

(metáfora/hombros/transición reconocible/transición de automanipulación/forma de tres partes/asimetría/transición de facilitación/patrón rítmico/mirada de la bailarina/transición de reseteo/patrón morse)

La obra comienza con la Voz en Off presentando la pieza completa:

voy a contarte una historia - pero debo advertirte que es una historia triste - bueno, todo el mundo sabe que las únicas historias felices - son las que aún no han terminado - esta sí ha terminado - terminada después de dos años - junto a una gran bandera hecha de lego - ondeando a un viento imaginario

La danza que sigue comienza con un ligero movimiento de los Hombros hacia atrás. Este gesto sin importancia descubre su significado solo al final de la obra completa, cuando la bailarina se aleja caminando de su compañero sin mirar atrás – los hombros echados hacia atrás indicando una sutil resistencia a partir, la cual ella ignora, el cuerpo de algún modo contradiciéndose a sí mismo. El hecho de que este movimiento suceda justo al comienzo, además de unificar estructuralmente a la pieza, también sirve para indicar que lo que estamos a punto de ver ya ha sucedido y que fue inevitable.

La coreografía posterior a esa sigue la forma de tres partes ABA de la música. La primera sección A está dividida en sí misma en tres partes, cada una de las cuales sigue un Patrón Rítmico de una Transición prolongada que es terminada con una mucho más rápida (Patrón Morse N). Primeramente, el brazo derecho es elevado, y luego el codo es extendido rápidamente hacia el lateral – este contraste entre movimientos ligados con movimientos más cortados tiene una ligera impronta de la estética del Tango. A lo largo de *Tangos Cubanos* no hay nada que pueda decirse que se parezca a una danza de tango tradicional, pero hay muchas referencias indirectas a la forma (además del hecho de que la obra juega con el concepto de un tango siendo simplemente un encuentro). El siguiente evento es una Transición de Automanipulación en la que la bailarina se prepara lentamente y luego rápidamente gira su propia cabeza hacia el lateral con su mano – como suele suceder con la Transición de Automanipulación, la división del cuerpo brinda un efecto de doble personalidad – la bailarina no quiere mirar, y al mismo tiempo, debe mirar. El tercer evento es la extensión del brazo en una lenta Transición Reconocible, a la que el público puede leer como una preparación para un gesto tentativo de saludar, con la mano quizás, a alguien. Este movimiento también es concluido con una Transición Reconocible más rápida que consiste en la retirada del gesto con desesperanza, significada a través de apretar el puño y bajar la cabeza. Estas transiciones transmiten que hay otra persona involucrada pero que la relación no tiene esperanzas.

La segunda sección B de la obra consiste en una Posición Clave con las dos manos juntas (¿sosteniendo algo preciado?), la cual es descendida tres veces – las manos ahora se abren para revelar que están vacías y luego el patrón de descender tres veces continúa. En esta sección es significativo el cambio en las posiciones de las piernas con la rotación interna de los dedos del pie, lo cual intensifica la sensación de desesperanza. También es crucial la Mirada de la Bailarina, que se mantiene lateral y hacia abajo como en la sección previa – un principio coreográfico fundamental es *'solo mueve algo por una razón; si no hay razón para moverlo, déjalo donde está'*. Al final de la segunda sección, vemos a la bailarina ahora *in extremis*, pero comenzando la segunda sección A, tendrá lugar una supresión casi mágica de la tensión en una Transición de Reseteo de vuelta hacia la Posición Clave Neutra. Es como si se hubiese hecho borrón y cuenta nueva, y la danza, como la vida misma, sigue adelante.

La segunda sección A comienza precisamente igual que la primera, con la elevación de brazo y la extensión de codo. Hubiera sido perfectamente normal repetir simplemente la primera sección completa y culminar la pieza en la Posición Clave final como antes. No obstante, sabemos que la simetría puede ser predecible y a veces decepcionante, por lo que aquí, en lugar de eso la bailarina extiende el codo aún más lejos (perdiendo el movimiento más rápido, lo que ayuda a llevar a la pieza a una conclusión) y muy lentamente desciende su cabeza sobre este como si fuera una almohada. Es significativo aquí el movimiento de la pierna izquierda, en el que el tobillo es girado hacia afuera. Esta es una Transición de Facilitación en tanto que permite a la bailarina inclinarse más lejos hacia el lateral – pero como todas las buenas transiciones de facilitación, aporta a la forma del cuerpo produciendo una curva final de arqueo general.

Consideremos la Música de la pieza. Consiste de, en la línea de bajo, una repetición de acorde pulsante que tiene algo de la marcha fúnebre. Por encima, una melodía más ligera, casi efímera, que parece estar intentando atrapar algo pero siempre parece caer en la nota equivocada, con una mezcla agridulce de tonos mayores y menores (apropiadamente en música, ¡estos choques son llamados Relaciones Falsas!) que es espejada en la coreografía.

Toda esta sección es el epítome de la Danza Poética en tanto que es corta y económica, quizás consistiendo solo de doce Transiciones. Aun así, de algún modo, engloba la totalidad de la obra que seguirá – los movimientos están imbuidos de Metáfora y significado pero al mismo tiempo son muy exactos en estructura y forma.

02: parada de autobús de *Tangos Cubanos*

(movimiento pedestre/mirada de la bailarina/unísono/unísono en espejo/unísono en espejo invertido/movimiento conjunto)

por primera vez esta ciudad - por primera vez esta medianoche - por primera vez esta parada de autobús - por primera vez este beso - por primera vez ese bus intempestivo de ella - por primera vez este vacío - debería haberse ido lentamente como cuando chocan dos coches - pero no - el humo de diésel del bus me hace toser - me encuentro a mí mismo hablando con la parada de autobús – eh, ¿has visto lo que acaba de suceder? - no hay respuesta - ya ha visto de todo supongo

Como la historia describe, la danza muestra el momento del primer beso de ella y él. Los movimientos aquí toman prestada de la danza de tango clásica la idea de un Movimiento Conjunto estrechamente sincronizado. Pero en lugar de unirse mediante el típico agarre de los brazos, la bailarina y el bailarín se conectan solo a través de sus bocas en dos largos besos – aparte de sus bocas, no se tocan entre sí. Por supuesto, gran parte del tango se encuentra imbuida de sexualidad sublimada, evidente en la calidad de los movimientos y en la estrecha sincronía de la pareja de baile. Aquí, este tango vuelve a esa sexualidad más explícita en la forma de un beso. Las dos secciones de danza se encuentran precedidas por preludios cortos de Movimiento Pedestre, con cada uno de los intérpretes rodeando al otro en una caminata – las Miradas de la Bailarina y del Bailarín aquí son cruciales, mostrando una cierta cautela, cada cual siguiendo al otro tan lejos como es posible y luego teniendo que cambiar la mirada cuando este pasa por detrás suyo. Nótese también que el bailarín tiene sus manos en los bolsillos (¡raro para un bailarín!), lo que le da cierta frescura que lo humaniza, y esto es espejado por la bailarina que tiene sus brazos cruzados detrás de la espalda. La bailarina y el bailarín mantienen este desapego a lo largo del comienzo de la danza, con los pies en Unísono en Espejo Invertido, y la repentina extensión sincronizada de sus brazos hacia atrás (¿volando?), en Unísono en Espejo, parece significar un cambio en la relación. En la segunda sección, las posiciones de los brazos pueden ser vistas secuencialmente mostrando quizás apertura, rendición y aceptación. La música para esta sección es un Tango, pero del estilo del antiguo Tango Habanera (que también encontraremos en *Tango de Soledad*), lo cual parece apropiado dado que posiblemente fue desarrollado en La Habana y de allí proviene su nombre.

03: día de san valentín de *Tangos Cubanos*

(movimiento pedestre/manipulación a distancia/manipuladora manipulada/patrón de rima/transición reconocible/patrón morse/desviación)

el día de san valentín me dio un pastel diminuto con un 'nunca olvidarás esta noche' escrito en él - yo quería guardarlo pero ella me dijo que era mágico y que si te lo comías se hacía realidad - así que me lo comí - y tenía razón

Esta sección delicadamente humorística pero también conmovedora se centra en la idea de que enamorarse es un poco como estar en trance – aquí, la bailarina, con la ayuda de su pastel mágico, lanza un hechizo sobre el bailarín. La danza comienza con una pequeña sección de Movimiento Pedestre donde la bailarina primero inspecciona las manos del bailarín para ver si están limpias y luego le da el pastel; no obstante, los movimientos pedestres están Estilizados a través de la Desviación y la exageración. Después de darle el pastel, como una maga o hipnotizadora, lo deja inconsciente con un chasquido de sus dedos. Ahora ella está en control y, con Manipulación a Distancia, puede levantar, sin tocar, primero una pierna, luego la otra y luego ambas, haciéndolas incluso ejecutar unas pícaras 'baterías' tomadas del mundo del ballet. Pero el bailarín no puede ver a la bailarina y tiene que iniciar y determinar el alcance de cada movimiento. En consecuencia, ella tiene que responder a las decisiones de él, entonces en efecto, la Manipuladora es Manipulada. Los movimientos de manipulación más lentos son concluidos con sacudidas muy rápidas de manos, significando soltar el control, y este Patrón de Rima es mantenido a lo largo de la primera sección (Patrón Morse N). Los diversos movimientos de manipulación continúan, intercalados con Transiciones Reconocibles tales como chequear si el bailarín está inconsciente, pasar la mano por debajo del cuerpo en busca de cables (como en un acto de levitación) y otra sección de Movimiento Pedestre que consiste en comer el pastel.

En la segunda sección, el pastel tiene ahora la habilidad de congelar las posiciones manipuladas del bailarín con otro Patrón de Rima de una pequeña ola que da cierre a cada movimiento más extendido, y la escena culmina con el bailarín durmiente siendo alimentado con los restos del pastel. La sección entera presenta la idea de que los encuentros románticos fugaces son un poco como sueños surrealistas, donde los protagonistas se quedan preguntándose, '*¿esto realmente sucedió?*'.

04: balcón de *Tangos Cubanos*

(bebida/manipulación/mirada de la bailarina/encuentro romántico/amplificación de patrón/metáfora visual/movimiento pedestre simultáneo/transiciones simétricas/estilización)

si consigues un apartamento en la habana - asegúrate de que tiene balcón - así podrás sentarte afuera a la hora del almuerzo - con sus pies en tu regazo - y beber una cristal - siempre algo que ver

La bailarina y el bailarín principales se adentran en un Encuentro Romántico estilizado sentados sobre cubos blancos, con los pies de la bailarina sobre el regazo del bailarín, tal como se menciona en la historia. Ella y él están bebiendo cerveza cubana en latas a lo largo de la danza. El Movimiento Pedestre Simultáneo de beber, el cual no está estructurado, es superpuesto sobre los movimientos de danza estrictamente coreografiados y cumple varias funciones: se relaciona con la historia pero, lo que es más importante, humaniza a la bailarina y al bailarín y hace que las acciones parezcan más reales. Si se quiere ver el poder del movimiento pedestre simultáneo, intentemos imaginar a esta danza quitando la acción de beber cerveza para ver cómo pierde su naturalidad y encanto.

La danza comienza con la bailarina ejecutando movimientos sinuosos en forma de S con su pierna izquierda, con una Metáfora Visual (Transición) que evoca la seducción de una serpiente. La pierna y el pie se tornan luego en un brazo y mano sustitutos, en tanto que primero Manipulan de este modo el rostro del bailarín y luego rechazan sus avances empujando sus hombros hacia atrás. La extraña contradicción de la pierna al principio incentivando el flirteo y luego disuadiéndolo es parte de la dinámica intrigante entre la bailarina y el bailarín.

En la parte siguiente, el bailarín pierde la paciencia, toma el pie de la bailarina, y entonces lo Manipula de un modo controlador y agresivo. Sin embargo, una vez más, el tono cambia a partir de que el bailarín besa el pie y lo suelta. En la segunda mitad de la danza, la bailarina repite los movimientos de la primera mitad pero esta vez empleando una Amplificación de Patrón. En esencia, los movimientos originales de una pierna se convierten en los movimientos dobles de ambas piernas, y el efecto anterior se torna más fuerte, introduciendo simultáneamente Transiciones Simétricas.

Las Miradas de la Bailarina y del Bailarín tienen gran importancia en esta pieza. Durante toda la sección, el bailarín mira atentamente a la bailarina, siendo ocasionalmente distraído por los movimientos del pie y la pierna. La bailarina también está todo el tiempo enfocada en el rostro del bailarín, ajustando incluso su posición cuando las piernas se encuentran en medio del camino para mantener su visión, y este lazo visual tiene un impacto significativo en la coreografía. Lo más crucial en esta sección es que la Estilización del Encuentro Romántico, en lugar de hacerlo artificial e irreal, le agrega profundidad, complejidad y veracidad de un modo en el que un encuentro romántico más 'realista' nunca podría.

05: hielo de *Tangos Cubanos*

(línea diagonal/unísono en espejo/unísono de ola/metáfora visual/transición ornamental/anidación/patrón de rima/transición geométrica)

recuerda cómo solías picar el hielo - para hacer nuestras margaritas - lo metías en una bolsa de plástico - y luego lo ponías entre dos tablas de madera - después te subías encima con las botas cañeras puestas - qué suerte que eres una bailarina

La coreografía toma su idea principal de la historia, en la que la bailarina gradual y lentamente cambia su peso de un lado al otro de la madera, después de lo cual el hielo debajo se rompe. Entonces aquí tenemos Transiciones lentas que terminan con movimientos crujientes y estremecidos que podrían ser considerados como Transiciones Ornamentales – las cuales en conjunto componen Patrones de Rima, como al final de los versos en poesía. Las bailarinas y bailarines se encuentran en dos líneas diagonales de Unísono en Espejo, lo que enfatiza las Transiciones Geométricas que hacen con sus cuerpos, brazos y piernas. Las líneas diagonales les permiten moverse hacia ambos lados, lo cual no sería posible en una Línea regular – veinte intérpretes, incluso en un escenario grande, estarían prácticamente hombro con hombro. Lo que funciona particularmente bien es la rotación de 45 grados para que las bailarinas y bailarines giren hacia su línea de espejo opuesta y para la Anidación de los cuerpos a medida que giran. La totalidad del grupo se mueve al unísono en los movimientos lentos, pero dado que la música es bastante vaga, no hay un pie claro para los finales de rompimiento de hielo de los movimientos, entonces lo que obtenemos es un Unísono de Ola que viaja en forma descendente por las líneas de bailarinas y bailarines, dado que quienes que se encuentran detrás reaccionan a quienes están adelante.

06: universo de *Tangos Cubanos*

(manipulación/transición de bisagra/posición clave fija/patrón de motivo/transición de reseteo/transferencia de patrón/posición clave geométrica/asistencia)

hay quien dice que el universo comenzó de la nada - como una explosión silenciosa - y quizá un día colapsará simétricamente - a través de su diminuto punto de partida - hacia la nada otra vez - bueno, sé cómo se siente - otros dicen que seguirá - expandiéndose y enfriándose - hasta volver a ser una sopa de insípido vacío infinito - también he estado allí - columpios y norias - pobre universo - con razón le está tomando su tiempo

En la trayectoria de la historia general de *Tangos Cubanos*, esta pieza marca la desolación interna de la performer femenina que conducirá a la ruptura final. De algún modo, esta sección es un solo de danza con una Asistencia pero, como hemos visto, además de proveer soporte para Transiciones y

Posiciones Clave que no serían posibles de ejecutar de forma individual (lo cual realiza aquí el bailarín), la Asistencia puede ser más que solo un soporte. Aquí, con Movimientos Pedestres que consisten en acomodar la vestimenta y Manipulación que implica sugerencias sobre ajustes de posición, él demuestra ser un asistente atento. La indiferencia de la bailarina por él, no obstante, solo sirve para intensificar y profundizar el aislamiento de ella. Luego de los Movimientos Pedestres de Asistencia, la bailarina repite el movimiento de brazo de la apertura de la primera sección de *Tangos Cubanos* – este Patrón de Motivo de una elevación muy lenta del brazo seguida de un giro rápido hacia el lateral ayuda a unificar a la obra completa. Su patrón rítmico de movimiento lento seguido de movimiento rápido es reforzado en la siguiente elevación de pierna y extensión del pie en punta, y luego de eso reaparece a lo largo de esta sección. Después de esto, la Asistencia trae el codo a la rodilla, formando una línea vertical y una Posición Clave Fija temporaria, lo que permite dos Transiciones de Bisagra – una de ellas es un giro hacia el lateral y la otra es una inclinación hacia atrás, manteniendo todo el tiempo la geometría del brazo y la pierna.

Un aspecto crucial de estas dos últimas transiciones es la posición de la Asistencia, quien ahora se encuentra de rodillas. Esto, por un lado, forma una figura agradable con la bailarina pero también lo quita a él del medio. Un problema con muchas asistencias es que el bailarín que hace de soporte a veces se convierte en una distracción, solo estando ahí como si fuera un perchero. La bailarina luego comprime la Posición Clave Fija hacia un espacio lo más pequeño posible, reflejando la historia y su desesperanza antes de una lenta Transición de Reseteo que nos trae de vuelta al punto inicial.

La segunda mitad de la danza espeja la estructura de la primera con diferentes partes del cuerpo – los patrones rítmicos de motivo, las posiciones fijas (esta vez con el cuerpo, el brazo y la pierna en ángulos rectos), las transiciones de bisagra y la compresión final hacia la desesperanza. Esto podría ser considerado como un ejemplo extendido y suelto de Transferencia de Patrón, por medio de la cual las similitudes de los patrones unifican la sección y proveen una sensación de compleción, mientras que los cambios en las partes del cuerpo y en los ángulos agregan variedad y sostienen el interés.

07: dedo de *Tangos Cubanos*

(métrica compleja/metáfora visual/alternancia de unísono/ubicación/movimiento pedestre/izquierda derecha/transiciones de sacudida/posición de mano fija/bandada) *lleva puesta su camiseta de frida kahlo - la que tiene un pequeño diego en la frente de frida y el ojo de ella en el de él - está llorando – frida, me refiero - ¿foto? dame una sonrisa, le pido sin esperanza - (por lo visto nunca sonríe) – ella me enseña el dedo del medio – me sirve igual*

El tema de esta danza, tomado de la historia, es la Posición de Mano Fija de los dedos medios levantados. A veces son utilizados para su significado gestual habitual. A veces son usados para señalar. Pero, su presencia continua los transforma – del mismo modo que si repetimos una palabra veinte veces, esta comienza a cobrar una nueva vida – así también los dedos siempre extendidos se vuelven casi surrealistas.

La otra fuerza conductora de esta danza es la Métrica Compleja de la música, que consiste de 14 tiempos que están organizados en el patrón de 123 12 12 123 12 12. Esta organización produce un patrón de seis pulsos irregular y tambaleante, que es amplificado por el Unísono de veinte bailarinas y bailarines, especialmente cuando están usando Transiciones de Sacudida intercaladas con otras más líricas. Debido a que las bailarinas y bailarines están contando rápidamente (del mismo modo que lo estaban los músicos que grabaron la música), pueden mantener el unísono, pero dado que el pulso es veloz, es difícil para el público predecir cuándo sucederá el siguiente acento, y esto da a la pieza una energía específica, caprichosa, nerviosa.

Como parte de la coreografía, las bailarinas y bailarines se trasladan gradualmente en masa desde la Derecha hacia la Izquierda, a contracorriente podríamos decir, incrementando de este modo la tensión. Para que en la segunda sección repetida puedan seguir moviéndose en esta dirección y colaborar así con esa tensión, necesitamos resetear de vuelta hacia el lado derecho del escenario. Coreografiar este movimiento de regreso soltaría la tensión, entonces en el pequeño interludio, Alternan a Movimiento Pedestre y simplemente caminan de vuelta hacia el lado derecho del escenario (un poco como mover hacia atrás el carro de una máquina de escribir, lo cual se conecta con nuestra teoría sobre la dirección de escritura). Es interesante observar cómo la caminata pedestre hacia la derecha no elimina la tensión. Si en lugar de eso al final de la primera parte, las bailarinas y bailarines hubieran simplemente girado y ejecutado la coreografía de la segunda mitad en la dirección opuesta, podemos imaginar cuán plana sería la pieza. En un Estudio de Caso posterior, *Dann Geht Sie Einkaufen*, veremos cómo la coreografía moviéndose de un lado al otro del escenario produce este efecto de aplanamiento – en esa pieza, un efecto deliberado de la coreografía.

Ahora en posición, las bailarinas y bailarines pueden repentinamente Alternar de vuelta al modo danza y continuar con la coreografía de Derecha a Izquierda. Como suele ser el caso, aquí, un período de Movimiento Pedestre revigoriza a la danza y enfatiza sus cualidades rítmicas y coreográficas. En esta pieza, el término Bandada parece particularmente apropiado para describir al movimiento del grupo a través del escenario, en tanto que mucho de la coreografía parece evocar a los pájaros – las posiciones en una pierna – los brazos elevados detrás de la espalda – la caminata con las cabezas hacia abajo.

arte del movimiento

(recitativo-aria/estereoscopía en vivo/texto/conferencia/diseño visual/textos relacionados con la danza/comedia)

Arte del Movimiento es una obra de danza de 40 minutos que incorpora bailarinas en vivo y bailarinas 3D en una Estereoscopía de Mismo Espacio. Para facilitar esto, las bailarinas reales y las 3D están paradas sobre cajas blancas, por lo que sus movimientos están limitados a un área de medio metro cuadrado. La obra fue comisionada por *Kyoto Experiment* y estrenada en Kioto en 2013. Ganó el *Prix du Jury* en el FCIDC 2013 (*Festival Culturel International de Danse Contemporaine*) en Argel.

La obra toma la forma de una serie de secciones cortas de 3 a 4 minutos que componen un tratado sobre el arte de la coreografía. Cada parte es precedida por una Conferencia introductoria que explica la técnica particular a ser explorada en la siguiente sección, es decir, un formato clásico de Recitativo-Aria. Las conferencias introductorias impartidas por una conferencista 3D resaltan algunas de las 123 técnicas coreográficas posibles, presentadas de un modo humorístico. En cierto sentido, la obra entera utiliza Textos Relacionados con la Danza pero en una especie de formato de previsualización. Además, cada sección tiene una serie de imágenes visuales realizadas por la artista alemana Silke Mansholt, que son proyectadas tanto sobre las bailarinas virtuales como sobre las reales. La obra usualmente es presentada con bailarinas reales del país en el que se exhibe.

08: parte del cuerpo muerta de *Arte del Movimiento*

(notación/restricción/hombros/diálogo/partitura/dominancia musical/mirada de la bailarina/unísono en espejo/transición de reflejo)

Antes del comienzo de la danza, la conferencista ha explicado:

En Parte del Cuerpo Muerta, una o más partes del cuerpo de la bailarina se muere y deja de tener vida. Se queda colgando. Por supuesto, no está completamente estática, después de todo está unida a la otra parte que aún está viva. En el ejemplo a continuación ambos brazos lamentablemente han fallecido.

En la danza, las dos bailarinas, la real a la derecha, y la imaginaria, están enfrentadas y, como se enunció, no pueden mover voluntariamente sus manos o brazos. Además de la Restricción general de *Arte del Movimiento*, que consiste en que las bailarinas están más o menos imposibilitadas de moverse por el espacio dado que se encuentran paradas sobre cajas, esta nueva restricción parecería limitar las opciones de danza a casi nada. No obstante, como suele ser el caso en la danza, de las grandes restricciones surgen grandes posibilidades. Las bailarinas pueden mover sus Hombros, y sabemos que los hombros son increíblemente flexibles y expresivos. Los Hombros usualmente juegan un papel secundario con respecto a los brazos y manos, pero estando estos incapacitados, ¡los hombros tendrán su día bajo el sol!

La coreografía toma la forma de un Diálogo sin palabras entre las bailarinas, expresado únicamente a través de movimientos de sus hombros, los cuales son enteramente controlados a través de Dominancia Musical. Para cada nota melódica, hay un movimiento correspondiente.

En la primera estrofa, la bailarina 3D realiza cuatro declaraciones; la bailarina real responde – hay una cierta tensión en el aire, incluso algo de agresión. En la segunda estrofa, el diálogo se acelera a medio verso cada una y ahora las respuestas de la segunda bailarina han comenzado a espejar a la primera. En la estrofa final, las dos bailarinas están en Unísono en Espejo y la tensión se ha disipado. Este movimiento gradual de la agresión al acuerdo brinda a la pieza un arco satisfactorio y un sentido de dirección.

Dado que los movimientos son muy intrincados, fue necesario idear una forma particular de Notación (que fue especialmente útil para las 27 bailarinas reales provenientes de 10 países alrededor del mundo, quienes tuvieron la mala suerte de tener que aprender la pieza), la cual hemos copiado aquí:

SOLO MOVER LOS HOMBROS
Los pies de ambas bailarinas a 45 grados
cabezas enfrentadas (movimientos mínimos aleatorios en la intro)
F=forward (adelante) N=normal (normal) U=up (arriba) D=down (abajo)
B=back (atrás) R=rotate (rotar).
Las cursivas corresponden a la bailarina 3D a la izquierda.

ESTROFA UNO Solo el hombro de afuera
F/N/b n f ff /N/U/bURrrr en sentido antihorario/U/UU/UUF
U n d dd/N /F/N/B bu u n/U/UU/UUU/UUUF

N u n/Rrrrrrr en sentido horario/R r r r r /N
(relajar a N/f ff n b n f fu fuu/n/f ff n b n f fu fuu/n/f/n/f
ESTROFA DOS
f/fu u n b n/f
f/fu u n b n/f/n
de ahora en más ambos hombros
u n u uu/u/fu/n
u n u uu/u/fu/fuu n
u uu uuu/delgado/uu u n d n u/n
uuu/uu u n d n u/n
f/r r r r r r en sentido horario/f
f r r r r r en sentido antihorario/f
ESTROFA TRES. UNÍSONO
U/Fu u bbu bu/U/Uu/N
F fu u bu/U/Uu/Fuu
Rrrr hombro más lejano *(derecha en sentido antihorario)* izquierda en sentido horario/U/Uu/Uuu
Rrrr ambos hombros *(derecha en sentido antihorario)* izquierda en sentido horario/U/Encoger hombros dos veces
Abrir hombros abrir hombros abrir hombros
Rrrrrrr ambos hombros *(derecha en sentido antihorario)* izquierda en sentido horario
U/Rrrrrrr hombro más lejano *(derecha en sentido antihorario)* izquierda en sentido horario/U
f ff n b n f fu fuu/n/f ff n b n f fu fuu/n/f/n/f

Las bailarinas podrían haber aprendido la coreografía copiando simplemente un video de la pieza pero, además de que algunos de los movimientos en el lateral de la bailarina que apunta hacia atrás resultan difíciles de ver, se requiere que la bailarina lea y recree los movimientos simultáneamente. Esta habilidad, que es similar a la de las traductoras siendo capaces de escuchar y traducir al mismo tiempo, no es tan común, y por ende la notación demuestra ser invaluable. En la notación, también es más sencillo distinguir patrones, por ejemplo en este caso, el último verso de las estrofas uno y tres siendo muy similares.

Como expone la conferencista, las manos y brazos no se encuentran estáticos sino que son movidos por los impulsos de los hombros en una serie de Transiciones de Reflejo, en las que parecen funcionar como péndulos con la gravedad tirando de ellos hacia el suelo. Además de las Transiciones de Reflejo, hay una serie de Transiciones de Facilitación que implican arquear la espalda, inclinarse hacia adelante y doblar las rodillas, las cuales, además de posibilitar los movimientos de hombros, realzan el drama de la confrontación.

Las miradas entre las dos bailarinas son elementos esenciales del diálogo. La bailarina real a la derecha está mirando hacia el espacio vacío y no puede ver a la bailarina 3D cuando el público cree que sí (del mismo modo que cuando la bailarina 3D fue filmada, tampoco podía ver a la otra bailarina). En ambos casos, es necesario que las bailarinas no solo tengan sus cabezas apuntando en la dirección correcta sino que realmente 'vean' a la otra bailarina. La diferencia entre mirar inexpresivamente hacia la nada y realmente ver depende de que la bailarina visualice dentro de su cabeza a la otra y represente en su imaginación el drama en curso.

09: tacto magnético de *Arte del Movimiento*

(transición desarrollada/manipulación a distancia/manipuladora manipulada/transiciones de reflejo)

Antes de la danza de Tacto Magnético, la conferencista explica:

El Tacto Magnético (uno de mis favoritos) es bastante similar al llamado tacto pegajoso, en el cual una parte del cuerpo primaria al entrar en contacto con una segunda parte queda misteriosamente adherida. Cualquier intento de mover la parte primaria resulta en un movimiento de la segunda, como si estuvieran unidas. El Tacto Magnético difiere, por supuesto, en la manera en que se establece el contacto. En el Tacto Magnético, la parte secundaria 'siente' la aproximación de la primaria y salta hacia ella antes del momento en que normalmente se produciría el contacto. La separación del tacto magnético también tiene una dinámica de movimiento característica.

En Tacto Magnético, los dos pares de bailarinas (el par real y el par imaginario) ejecutan un Unísono Difuso en el que los movimientos generales y los pies rítmicos están definidos, pero los ángulos y posiciones del cuerpo no son exactamente los mismos (aquí el extracto en video solo muestra a uno de los pares). El concepto de la danza es que los cuerpos de las bailarinas están imantados de modo tal que, por ejemplo, cuando una mano se aproxima a un tobillo, el tobillo saltará hacia esta, luego será manipulado y solo separado con cierto esfuerzo. Para imitar el efecto físico de un imán saltando, la bailarina utiliza un tipo de Transición Desarrollada en la que en lugar de simplemente moverse a una velocidad constante, la Transición comienza más lenta y luego se acelera progresivamente hacia el final – la separación del imán sigue un patrón similar pero de forma inversa. La bailarina que se encuentra adelante también enfatiza el contacto con Transiciones de Reflejo en las que el cuerpo entero, en la liberación, se relaja. Dado que la bailarina que está al frente no puede ver a la bailarina que está detrás, tiene que controlar las dinámicas de la coreografía cuando no están en contacto, entonces aunque en teoría la bailarina que está detrás está manipulando a la que se encuentra adelante, ella debe seguirla, es decir, la Manipuladora es Manipulada.

10: acción a distancia de *Arte del Movimiento*

(transiciones de reflejo/manipulación a distancia/transferencia de patrón/diseño visual/transiciones de facilitación)

La conferencista explica:

Aquí el movimiento de una parte del cuerpo afecta a otra parte aunque no estén en contacto. Subcategorías de esta técnica son, por supuesto, la cuerda invisible... la presión sin contacto... el movimiento a través de la materia... el Control Remoto, etc. Tradicionalmente, la mano se usa como generadora del impulso, aunque otras partes del cuerpo pueden proporcionar escenarios más interesantes.

En la danza, la bailarina real (a la derecha) controla a la bailarina estereoscópica sin tocarla – esto es ideal para esta situación ya que técnicamente, la bailarina real y la artificial no pueden tocarse. En la primera estrofa, ambas bailarinas están mirando hacia adelante, y la bailarina real primero utiliza su mano para manipular la cabeza de la otra. Lo que estamos viendo es una Transferencia de Patrón simultánea, en tanto que los movimientos de la mano son transferidos a la cabeza de la otra bailarina. Aquí son importantes las Transiciones de Facilitación de la bailarina que controla involucrando al cuerpo entero, lo que amplifica los movimientos y muestra el esfuerzo requerido para controlar este movimiento a la distancia. La bailarina que controla luego tuerce sus propias piernas, hombros y brazos, provocando respuestas aún más dolorosas en la bailarina 3D, evocando ideas del *bondage* realzadas por el Diseño Visual de líneas de tinta que se vuelven como cuerdas y ataduras sobre la bailarina 3D.

En las estrofas segunda y tercera, vemos una serie de manipulaciones con la cuerda invisible, el golpe a la cabeza, empujar y tirar del hombro, etc. Lo que es importante aquí es que la bailarina que manipula, en lugar de ejecutar sus tareas de un modo mecánico y mundano, como suele ser el caso en este tipo de montaje, está tan cuidadosamente coreografiada como la otra bailarina, utilizando Transiciones de Reflejo y Transiciones de Facilitación. Todo esto se hace posible por medio de la falta de contacto y la libertad que esto brinda para estilizar los movimientos.

edge of nowhere

(recitativo-aria/vestuario)

Edge of Nowhere (borde de ningún lugar) fue creado para la bailarina india Rajyashree Ramamurthi en 2015. El solo de danza toma la forma de una serie de historias sobre la vida temprana de la bailarina (las cuales ella relata usando *lip sync* y gestos coreografiados), cada una seguida por una danza que ilustra la historia – es decir, una vez más, una estructura de Recitativo-Aria. Las historias se centran en las ideas de la joven Rajyashree reflexionando sobre dónde se encuentra en el universo – en particular, la pregunta filosófica acerca de si todo gira en torno a ella.

La bailarina está inmersa en proyecciones visuales realizadas por Silke Mansholt – páginas de un cuaderno de artista para las historias y diseños más abstractos para las danzas, con la luz del proyector siendo resaltada por el Vestuario iridiscente de la bailarina.

11: **rice cakes** de *Edge of Nowhere*

(forma de tres partes/metáfora visual/métrica compleja/movimiento rítmico de pies/síncopa)

Esta historia se centra en Rajyashree rehusándose a compartir sus tortas de arroz con su pequeño hermano y su madre llamándola egoísta (lo cual Rajyashree cree que es un gran halago). Más tarde las dos tortas son transformadas en diferentes cosas en las cuatro secciones de la danza, por medio de cuatro Metáforas Visuales (Posiciones Clave) que tienen lugar en la parte superior del cuerpo. Estas representaciones son – los pechos simbolizando el crecimiento de la joven Rajyashree – los rodetes de la Princesa Leia, quien es mencionada en la historia como alguien extremadamente egoísta – tortas de arroz reales siendo sostenidas fuera del alcance del hermano pequeño y – los chakras corona y corazón con sus conexiones con la espiritualidad y el amor. Las posiciones metafóricas actúan como marcos que unifican las cuatro secciones (cumpliendo de este modo una doble función como elementos coreográficos estructurales y también como metáforas), las cuales exploran movimientos rítmicos rápidos de pies y ojos.

Veamos los aspectos rítmicos de la pieza y, en particular, el movimiento de pies de la bailarina. En la música, tal como lo vimos en la danza, el acento puede ser impulsado por muchos elementos, pero allí este es principalmente determinado por la mayor intensidad sonora de las notas acentuadas. Impulsores secundarios de los acentos musicales son las primeras notas escuchadas y también los patrones, por ejemplo, dos notas cortas y una nota larga tienden a acentuar la nota larga (como por ejemplo, el final de la *Obertura de Guillermo Tell* de Rossini).

En la música de esta pieza, el acento es ambiguo (es decir, sin un acento dinámico fuerte y contradiciendo el primer acento escuchado y el acento por patrón), por lo que no sabemos si el acento está en el tiempo uno o en el dos. No obstante, los movimientos de pies de la bailarina (que son resaltados aquí en números en Negrita) claramente ubican el acento sobre el tiempo uno, clarificando de este modo la música, por ejemplo:

1&2 **3**&**4** **1**&2&**3**&**4** **1**&2 **3**&**4** **1**&2&**3**&**4**
1&**2** **3**&**4** **1**&**2**&**3**&**4** **1**&**2** **3**&**4** **1**&**2**&**3**&**4**

También podemos ver que en la segunda frase el ritmo de los pasos de la bailarina se duplica a una vez por cada tiempo. Lo que es un ritmo bastante sencillo aunque desequilibrado (debido al patrón de corto, corto, largo) de cuatro tiempos en cada compás luego repentinamente pasa a:

1&-**&**3-**4**&-**&**6-**7**&-**&**9-**1** (2 3 4)

donde los tiempos son alargados a uno y medio respecto de sus longitudes originales. Este cambio introduce un hiato caótico en la pieza que podría ser visto como una Síncopa, el cual luego se resuelve, produciendo una sensación de alivio en el siguiente compás cuando se restablece el orden normal de cuatro tiempos. La secuencia entera es, por lo tanto, un Patrón Reconocible, un poco como una atleta ejecutando un salto de longitud – corre, corre más rápido, salta y está fuera de control, cae. Este patrón es repetido tres veces, pero en medio de la segunda y la tercera, tenemos otro Patrón Reconocible que consiste en ofrecer algo a alguien y luego arrebatárselo en el último movimiento, y esto se relaciona con la historia. Aquí el patrón y los gestos están altamente estilizados. La estructura general de la pieza es, por consiguiente, una Forma de Tres Partes Asimétrica.

12: **river** de *Edge of Nowhere*

(patrón de frase/simetría/metáfora visual/espacio definido/transición ornamental/transición disfrazada/transición reconocible)

En la historia, Rajyashree describe un encuentro con su gurú, quien sugiere que para comprender la vida, tienes que salir fuera de ella, utilizando su mano y un río como metáfora. La subsiguiente sección de danza tiene una estructura sencilla de: A A' B A Coda, siguiendo la música y una vez más una Forma de Tres Partes Asimétrica. La sección A consiste en un único Patrón de Frase que puede ser desglosado en cinco elementos:

- Colocar las manos en una postura que crea un Espacio Definido entre ellas. Cabe señalar que en lugar de simplemente elevar las manos a la posición en una Transición Simple, inicialmente el movimiento va en la dirección opuesta, formando una elaborada y sinuosa Transición Disfrazada (involucrando al cuerpo entero, incluyendo a las piernas). Esto da al movimiento un sabor ornamentado y altamente formal.

- El Espacio Definido es elevado y luego rotado 90 grados, y la bailarina entonces mira a través de ese espacio como si estuviera viendo a través de un agujero en una pared. Esta Metáfora Visual simple se relaciona con la historia y con el concepto de mirar a la vida desde otro lugar, desde 'afuera'. Una de las cualidades mágicas del Espacio Definido es cómo este conduce a múltiples manipulaciones de otras partes del cuerpo para mantenerse – en este caso, la extensión de una de las muñecas y una inclinación del torso.

- El Espacio Definido es elevado sobre la cabeza de la bailarina pero nótese que en lugar de hacerlo en una Transición Simple, los brazos primero son extendidos hacia la diagonal, y luego el enderezamiento del torso eleva las manos.

- El Espacio Definido es descendido a la posición que se ve al final del primer movimiento.

- El Espacio Definido es ampliado y luego reducido tres veces en un modo reminiscente de la respiración (y por lo tanto de la vida), antes de colapsar hacia la Transición Reconocible de un gesto de *Namasté*.

Este Patrón de Frase luego es repetido pero espejado simétricamente en el lado opuesto. Dado que el final del Patrón de Frase previo es muy similar al resultado de la primera transición de este Patrón de Frase, la importancia de la Transición Disfrazada puede ser vista con claridad, es decir, una Transición Simple desde el final de la parte uno al final del primer movimiento de la parte dos implicaría simplemente una pequeña apertura poco interesante de las manos.

La sección B de la pieza es un Patrón de Frase de tres partes. En la primera parte, la mano derecha realiza un arco desde el frente izquierdo del cuerpo hacia atrás. No obstante, en lugar de una Transición Simple, el movimiento contiene Transiciones Ornamentales en las que la mano es flexiblemente rotada de lado a lado para dar la impresión del agua, y por tanto del río; esto funciona un poco como un trino en una nota larga en música. La segunda parte repite la primera, pero una vez más es espejada en el lado y mano opuestos. Finalmente, en la tercera parte, ambas manos realizan el movimiento juntas simétricamente, en una forma de Amplificación de Patrón, acompañada por una flexión simétrica de las rodillas, y el movimiento adquiere algo de la sensación de nadar o incluso de volar. Aquí es crucial la Mirada de la Bailarina; en los primeros dos movimientos ella sigue desde la mirada a las manos pero en el tercero solo lo hace inicialmente, antes de mirar ligeramente hacia arriba. Esto da una sensación de estar al comienzo arraigada en el mundo material pero luego dejarlo.

La sección final de la pieza es una repetición del primer Patrón de Frase con una coda corta de reverencias al público en la posición de *Namasté* – Transiciones Reconocibles. Aunque esta pieza es estructuralmente sencilla, a través de su ritmo mesurado y su enfoque, ilustra quizás la idea de la gurú Mira de que la danza puede salir fuera de la vida.

danzas de amor que se fue

(entrevista/arte visual/distracción)

Danzas de Amor que se Fue es una obra comisionada por *Danza Contemporánea de Cuba* en 2019. El título deriva de uno de los poemas de García Lorca utilizados en las canciones cantadas por Daphne Scott-Sawyer y Rowan Godel y recitados en off por Clara García Fraile. La estructura general de la obra consiste en una serie de danzas intercaladas con entrevistas en las que un reportero pregunta a cada una de las bailarinas *'¿por qué se fue amor?'*. Cada una de ellas responde de una manera distinta con desconcierto, agresión, miedo, etc., y las entrevistas proporcionan una Distracción para que las bailarinas adopten sus posiciones para la siguiente danza. La obra es interpretada bajo proyecciones visuales relacionadas, realizadas por Silke Mansholt.

13: el agua de los mares de *DDAQSF*

(unísono/transición separada/recitativo-aria/patrón cíclico/transición de reseteo/patrón rítmico/mirada de la bailarina/transición de sacudida)

El mar - sonríe a lo lejos. - Dientes de espuma, - labios de cielo. -¿Qué vendes, oh joven turbia - con los senos al aire? - Vendo, señor, el agua de los mares.

En el poema, la enormidad del agua salada de los mares es equiparada con lágrimas. Una vez más, tenemos una forma de Recitativo (con el poema recitado) - Aria (con la danza principal y el texto cantado). La coreografía al Unísono de la primera sección utiliza Transiciones Separadas con las bailarinas moviéndose solo en la primera mitad de cada tiempo, combinadas con movimientos más líricos que llenan los compases de tres tiempos completamente – este contraste enfatiza la calidad de ambos tipos de movimiento y produce un efecto casi hipnótico. El Patrón Cíclico (repetido cuatro veces) combina Transiciones Reconocibles (la apertura de puertas corredizas, contar con los dedos, el gesto de llevar la mano al corazón) con otras más abstractas (la inclinación lateral de la parte superior del cuerpo, el giro de las manos). Es importante la Mirada de las Bailarinas, la cual está dirigida hacia la distancia, excepto por un corto período en el que cae hacia las manos. El patrón culmina con una lenta Transición de Reseteo (que trae los brazos, la mirada y la inclinación de vuelta a la posición inicial) y una Posición Clave Pausada de tres tiempos completos. Usualmente, tal repetición podría ser monótona, pero tal como vimos cuando discutimos la Forma de Repetición en canciones, los elementos que se repiten arrojan énfasis sobre las hermosas palabras del poema de Lorca y el público es invitado a intentar descubrir las relaciones entre la poesía y los movimientos.

En la sección de Aria de la pieza, tenemos el mismo poema ahora cantado, y la coreografía continúa al Unísono. De nuevo, como en la primera sección, tenemos un contraste de movimientos, esta vez entre Transiciones de Sacudida y transiciones más largas y más líricas. Un aspecto a tener en cuenta es que aunque la música es relativamente rápida, algunos de los movimientos la recorren, en contradicción, más lentamente.

14: llorando de *DDAQSF*

(movimiento pedestre estilizado/silla/transición reconocible/posición clave paralela/posición clave geométrica/iluminación lineal/transición disfrazada/transición desarrollada/transición de reseteo/posición clave fija/transición de bisagra)

El poema de la canción, *Poema de la Soleá*, de Lorca, es una obra de desolación – *'todo se ha roto en el mundo – dejadme en este campo llorando'*. La pieza es para una bailarina solista, quien permanece sentada a lo largo de la misma, con un fondo de lágrimas creado por Silke Mansholt. La música de la pieza se encuentra dominada por una serie de notas largas, que son continua y expresivamente moduladas – el equivalente musical de las Transiciones Desarrolladas, que son usadas a lo largo de la coreografía coincidiendo con las notas largas cantadas.

La pieza comienza con una Transición Disfrazada, en la que el codo derecho es traído hacia atrás en preparación para un largo movimiento del brazo hacia adelante (que es desarrollado a través del giro de la mano), alargando así la posibilidad del próximo movimiento pero también preparándolo, un poco como una inhalación antes de hablar. El siguiente movimiento significativo, la extensión de la pierna derecha en una Posición Clave

Paralela con el brazo, es posible gracias a la posición de la bailarina sentada en la Silla. A continuación, el brazo y la pierna extendidos se pliegan, y la rodilla y el codo se juntan para formar una línea recta – este último movimiento es resaltado por la Iluminación Lineal, que coloca una raya negra a lo largo de la parte media de las extremidades en el plano vertical. Nótese también el cambio en la forma de la mano a medida que se mueve hacia atrás, proporcionando ahora un foco nítido para la línea de brazo/pierna. El brazo y la pierna ahora están Fijos, y esto posibilita una Transición de Bisagra hacia atrás y hacia adelante preservando la geometría. Podría parecer extraño, en una pieza que es muy emocional y trágica, utilizar algo tan abstracto como Posiciones Clave Geométricas en lugar de, supongamos, formas más suaves y humanas, pero de hecho, el lento despliegue de estos elementos formales y su claridad brindan a la obra una cierta tranquilidad e incrementan la intensidad emocional.

A continuación, tenemos a la mano envolviendo la mejilla (con sus implicancias de tristeza o quizás comodidad) pero nótese en esta Transición Reconocible que la cabeza se mueve hacia la mano, dando la idea de que la mano es una almohada. La penúltima Transición de esta sección implica el movimiento de la cabeza hacia la mano del otro lado. Extrañamente es la misma mano que ha cruzado de lado; es difícil explicar en palabras por qué es necesario que sea la misma mano, pero es fácil de ver en la práctica. El último movimiento de esta sección es una Transición de Reseteo, en la que la bailarina retorna a su Posición Clave Neutra, despojándose así de todos los elementos de la sección anterior y preparándose para un nuevo comienzo.

Las secciones segunda y tercera comienzan con Movimientos Pedestres, es decir, caminando unos pasos. Estos se encuentran altamente estilizados (¡especialmente porque la bailarina está sentada!) con sus piernas muy elevadas, lo cual no sería posible estando de pie – el movimiento hacia atrás y hacia adelante de la parte superior del cuerpo de la bailarina es esencial para completar la ilusión del movimiento de avance. Una vez más, los movimientos estilizados producen un efecto mucho mayor y más emotivo que la realidad.

15: narciso de *DDAQSF*

(unísono/métrica compleja/transiciones múltiples/patrón de frase/movimiento de pies/ubicación/acento por velocidad/acento por dirección/semicírculo/transiciones de reflejo)

La música de Narciso utiliza Métrica Compleja con un número diferente de tiempos en casi cada compás – estos son:

10 - 3, 4, 3, 3 - 3, 4, 3, 3 - 5, 5, 5, 5, 5 - 3, 4, 3, 3, 3, 5

Una cosa fascinante puede suceder con bailarinas danzando ritmos inusuales al Unísono. Por medio de su seguimiento exacto de las métricas complejas, los patrones rítmicos aparentemente ilógicos parecen sencillos y naturales para el público. Esto se puede ver en muchas versiones de ballets que utilizan la música de *La Consagración de la Primavera* de Stravinsky, en las que un coro de bailarinas puede hacer que esta música, que por momentos suena casi aleatoria, se sienta lógica. Cuando no están danzando en esta sección, las bailarinas enfatizan el ritmo golpeando sus palmas al comienzo de los compases y en los *upbeats*, normalizando aún más los ritmos.

La pieza está organizada en cuatro estrofas, con las primeras tres consistiendo en dúos realizados al unísono por dos de las bailarinas rodeadas por las otras en un Semicírculo. Los dúos rotan en cada estrofa en una especie de dispositivo de duelo de baile, y la pieza culmina con una estrofa interpretada al unísono por todas las bailarinas.

La coreografía para cada una de las cuatro estrofas utiliza Transiciones Múltiples, en las que el cuerpo de la bailarina es dividido en dos partes, la mitad superior del cuerpo y las piernas y pies. Para la parte inferior del cuerpo, hay un complejo Patrón de Frase para la sección entera, el cual se repite en cada estrofa (excepto por un giro extra en la estrofa dos) mientras que las partes superiores del cuerpo van variando a lo largo de las cuatro estrofas.

El Patrón de Frase para la parte inferior del cuerpo está compuesto de cuatro secciones: una barrida hacia atrás del pie derecho retornando hacia el frente, lo mismo pero con el pie izquierdo, una serie de cinco pasos cruzados hacia adelante y una repetición de la primera barrida seguida de tres golpes de pie alternados. Cuando la música tiene una métrica tan compleja como esta, generalmente es mejor que los movimientos vayan con el ritmo de la música; si la pieza tiene métricas y ritmos más sencillos, entonces la coreografía puede jugar contra ellos.

Toda la pieza tiene un cierto aire flamenco, y por supuesto, en el flamenco, las bailarinas pueden enfatizar los ritmos y acentos de la música con el sonido percusivo de sus pies. Aquí, por diversas razones, las bailarinas tienen sus pies descalzos, por lo que debemos proporcionar la emoción acentuada de la pieza a través de medios diferentes. Luego de la introducción de diez tiempos, la primera nota de la canción es un *upbeat*, que necesita ser no acentuado, y la segunda es el *downbeat*, que requiere de un acento. Ambos movimientos de pies para estos tiempos son Transiciones Instantáneas (es decir, tan rápidas como es posible pero terminando en el tiempo), pero el primer movimiento consiste simplemente en clavar el metatarso sobre el suelo en el mismo lugar en el que está el pie. En contraste, en el segundo movimiento, el pie tiene que desplazarse a una distancia mucho mayor hacia atrás del cuerpo. Esta diferencia considerable produce un Acento por Velocidad que da una fuerza casi explosiva al *downbeat*. Más adelante en el Patrón, las bailarinas crean más Acentos por Velocidad, pero esta vez de una manera más sutil. A medida que avanzan, primero colocan el metatarso sobre el suelo y luego dan un golpe hacia abajo con el talón, produciendo el acento en el movimiento más rápido (esta vez en contradicción con el acento musical). Las Transiciones de Reflejo que reverberan a través del torso de las bailarinas debido a los movimientos de los pies son una parte esencial de la coreografía, especialmente en los cuatro golpes de pie alternados que dan cierre al patrón.

Mientras que, como dijimos, los patrones de pies de base permanecen más o menos iguales a lo largo de las cuatro estrofas, la parte superior del cuerpo tiene una variación diferente para cada una, combinando golpes de palmas, chasquidos de dedos, varias poses de brazos y manos y, por supuesto, ¡alternando movimientos de hombros! En términos de la dinámica general de la pieza, debe notarse el poder de la cantidad en la ejecución del Unísono, con la cuarta repetición de la secuencia siendo ejecutada por la totalidad de las diez bailarinas en lugar de solo dos, produciendo un clímax apropiado.

16: noche de cuatro lunas de *DDAQSF*

(movimiento pedestre/transición disfrazada/movimiento izquierda derecha/reinvención/transición de bisagra/desplazamiento/transición doble/posición clave de bucle)

En esta cuarta sección de la obra, el poema de Lorca cantado es el siguiente:

Noche de cuatro lunas - y un solo árbol, - con una sola sombra - y un solo pájaro. Busco en mi carne las - huellas de tus labios. - El manantial besa al viento - sin tocarlo. Llevo el No que me diste, - en la palma de la mano, - como un limón de cera - casi blanco. Noche de cuatro lunas - y un solo árbol. - En la punta de una aguja - está mi amor ¡girando!

Un aspecto importante de esta sección es la Imaginería Visual con diseños de Silke Mansholt proyectados, que toman el concepto de la noche y las cuatro lunas del poema. Además, la ubicación de las bailarinas y la línea de luz azul-plateada en un estanque de oscuridad son también esenciales para la pieza. En la estructura general de la sección predomina la obsesión de la bailarina de la izquierda con el tobillo de la bailarina ubicada a la derecha, mostrada de un modo muy simple, a través de reunir a las bailarinas a lo largo de la canción. Si bien tiene una gran fuerza dada por su claridad y singularidad de propósito, una idea tan simple podría fácilmente resultar tediosa; no obstante, la coreografía altera la simplicidad principalmente por medio del uso de Transiciones Disfrazadas, que son una característica de esta pieza.

Otro elemento esencial de la sección es la dualidad de tener a una bailarina cuidadosamente coreografiada y a la otra comiendo un pastel en Movimiento Pedestre. Esta dualidad funciona en dos niveles – a nivel del movimiento, enfatiza la naturaleza lírica de los movimientos coreografiados. En un nivel dramático, resalta la historia de un amor intenso no correspondido (quizás incluso más que no correspondido, en una situación en la que la persona amada ignora casi por completo la existencia de quien la ama). Debe decirse que se dedicó casi tanto trabajo a los movimientos de la bailarina pedestre, y que el rol es tan difícil de ejecutar bien como el de la bailarina en movimiento. Cuando se 'coreografían' movimientos pedestres, usualmente no basta con decir '*simplemente haz esto*', sino que el modo completo del estado y la intención tiene que ser transmitido sin utilizar la claridad de la coreografía estructurada.

El comienzo de la coreografía para la bailarina de la izquierda consiste en una serie de Transiciones Disfrazadas, es decir, toda la intención de la pieza es llevarla hacia la bailarina pedestre, pero primero ella se aleja caminando y luego extiende su pierna y su brazo apartándose de la otra bailarina. Estas extremidades extendidas luego se transforman en una Posición Clave Fija, la cual permite el siguiente movimiento que es una Transición de Bisagra en la que el cuerpo de la bailarina rota hacia la otra. Como sucede comúnmente, la Transición de Bisagra parece casi mágica, como si la atracción que tira de la bailarina para que gire fuera de algún modo magnética y no pudiera ser resistida. A continuación, vemos una arremetida hacia adelante y el brazo extendido hacia la otra bailarina, pero esto es una Transición Doble con la mano girando hacia arriba a medida que avanza. Luego el otro brazo y pierna son llevados hacia adelante en una segunda Transición de Bisagra, espejando a la primera. La cabeza es entonces llevada dos veces hacia atrás a las manos, pero en lugar de ir directamente hacia atrás, primero va hacia adelante, dos Transiciones Disfrazadas alargando los movimientos y dándoles forma.

La segunda sección continúa con el avance hacia la bailarina pedestre con un brazo de Soleá realizando un gesto de canasta, es decir, una Posición Clave de Bucle, y dos Transiciones Disfrazadas más que se repiten. En la tercera sección, la bailarina finalmente se acerca a la otra, y vemos una Transición de Automanipulación en la que una mano es extendida hacia el objeto de deseo solo para que la otra mano la aparte – significando ambivalencia, nerviosismo y sensación de indecisión. Esto es espejado en la acción final de besar el tobillo y luego inmediatamente alejarse con vergüenza. Al mismo tiempo, la otra bailarina simplemente mira hacia abajo desconcertada como diciendo '*¿acaba de suceder algo?*'. La estructura general de la pieza tiene un arco obvio y un sentido de conclusión en el que la dirección de desplazamiento de Izquierda a Derecha es vital. Si la bailarina que permanece estática estuviera en el lado izquierdo, el movimiento desde la derecha tendría la energía emocional equivocada.

Esta pieza es una Reinvención de una danza que lleva el mismo nombre, perteneciente a la obra *Attraverso i Muri di Bruma*, comisionada por Fondazione Prada, que también utiliza la misma canción y gran parte de la misma coreografía (se pueden ver algunos extractos de esta pieza en el Estudio de Caso 22). En esa pieza, en el lugar de la bailarina pedestre hay un hermoso y antiguo árbol de higos de los terrenos de la Fondazione Prada. Esa versión del dúo celebra así un aspecto del espacio de Prada y también refiere al único árbol en el poema de Lorca. El absurdo concepto del amor obsesivo de una persona por un árbol es representado de un modo tenso, y el público se queda preguntándose si el árbol es simplemente un árbol o una metáfora de otro ser humano. Extrañamente, en la versión de Prada también hay un elemento de movimiento pedestre (¡no solo por el árbol!) sino por el hecho de que antes de que la danza comience, la bailarina, vestida como uno de los guardias de Prada, está conduciendo al público y chequeando sus tickets de entrada antes de alternar al modo danza.

under flat sky

(diseño visual/voz en off/texto poético/proyección en video/vestuario semitransparente/libertades controladas)

Under Flat Sky (bajo cielo plano) es una performance de danza de 30 minutos con proyecciones visuales, comisionada por el *Museo de Arte, Kochi*, como parte de su programa de Artistas en Residencia en 2014. Las cinco bailarinas estaban inmersas en proyecciones en video en pantalla panorámica, pero posteriormente se realizó una versión para dos bailarinas estrenada en *The Place*, Londres, y luego una versión Estereoscópica para una sola bailarina.

Como en *Arte del Movimiento*, las bailarinas se están moviendo a través de Imágenes Proyectadas con Diseños Visuales de Silke Mansholt, pero en esta pieza se aplicó una nueva innovación que consistió en mover las imágenes proyectadas. Esto, en algunos casos, es responsable de la ilusión de que las bailarinas se están desplazando a través del espacio cuando en realidad se encuentran estáticas y, en otros casos, de que se están incorporando a un espacio que gradualmente va colapsando.

Una idea importante fue intentar realizar una pieza que fuera tanto una obra de arte visual como de danza. Una parte significativa de esto fue el diseño de los Vestuarios Semitransparentes, que permitió que las proyecciones se vean en muchos planos – la pantalla de proyección, la parte frontal del vestido, el cuerpo de la bailarina y la parte posterior del vestido. Para mantener el equilibrio entre el arte visual y la danza, se escogió utilizar un estilo coreográfico muy simple que fusiona elementos de la danza Butoh japonesa (con sus característicos movimientos mínimos y extremadamente lentos) con técnicas de danza contemporánea europea, de modo significativo Libertades Controladas.

La estructura general de la pieza consiste en una serie de Recitativos-Arias en la que los Recitativos toman la forma de poemas de estilo Haiku recitados en japonés (con subtítulos en el idioma del país en el que la obra está siendo presentada) con las bailarinas en oscuridad. Las secciones de Aria utilizan los mismos textos, ahora en turco, y cantados sobre las coreografías ilustrando indirectamente las palabras. En homenaje al idioma japonés, los poemas no contienen artículos (¡incluso en la traducción a idiomas en los que esto no está permitido!).

17: ice cracks de *Under Flat Sky*

(extensiones corporales/posiciones clave de conjunto restringido/transiciones fluidas/posición clave de extremo/metáfora visual/patrón cíclico/reinvención)

hielo se quiebra - nieve se derrite - y así en mis brazos - te fundirás
árboles florecen - fruta madura - y así en mis manos que esperan - caerás
tristeza viene - lágrimas brotan de mis ojos - y así desde mí - fluirás

Esta es una pieza sencilla con solo siete Posiciones Clave y seis Transiciones. La principal característica de la obra es que las bailarinas tienen seis cintas negras con peso, colocadas a intervalos regulares a lo largo de cada brazo, funcionando como Extensiones Corporales.

Al comienzo de la danza, los brazos de la bailarina se encuentran ubicados en forma vertical en una Posición Clave de Extremo, por lo que las cintas se alinean y no pueden ser vistas individualmente. A medida que la bailarina desciende sus brazos hacia los laterales, las cintas se despliegan, formando una suerte de cortina que evoca a unas alas. La bailarina entonces junta sus manos en la forma de un círculo, y esto sería difícil de ver desde el frente; no obstante, las cintas transforman el círculo en un cilindro que se puede observar fácilmente incluso a medida que se estrecha progresivamente. El cilindro de cintas forma una Metáfora Visual de una jaula de pájaros, que luego es elevada y se disuelve volviendo a las dos únicas líneas del comienzo, todo esto formando un único Patrón Cíclico.

Aunque hemos descrito a la pieza como una serie de seis Transiciones, debido a la fluidez y continuidad de direcciones, es posible ver a la pieza completa como una única Transición Fluida con las manos simplemente trazando dos grandes elipses. Como suele suceder con las Transiciones Fluidas, se produce una sensación de gran calma y serenidad (como se puede encontrar a menudo en el Tai Chi y el Qi Gong). La Transición Fluida única, junto con el retorno a la posición inicial (sin tener en cuenta el giro del comienzo), también se relaciona con el poema y su concepto subyacente sobre la naturaleza cíclica de la vida.

La idea de las Extensiones Corporales de cintas fue Reinventada en la pieza *Herz*, perteneciente a la obra *Attraverso i Muri di Bruma* comisionada por Fondazione Prada, donde debido a la naturaleza vertical de los espacios, era posible extender las cintas por más de cinco metros de longitud. Se pueden ver algunos extractos de esta pieza en el Estudio de Caso 22, y la longitud de las cintas da la ilusión de que las bailarinas son marionetistas (¡sin marionetas, por supuesto!).

18: no cloud de *Under Flat Sky*

(fondo en movimiento/asistencia/mirada de la bailarina/manos/diseño visual/transición ornamental)

ninguna nube – es nunca – tan grande – que – no pasará – de – enfrente de – sol – algunas sin embargo – son – lo suficientemente grandes para – hacerme – olvidar esto – tú eres – una

En esta danza, el fondo proyectado parece estar continuamente moviéndose hacia adelante, dando la impresión de que la bailarina que está al frente (las bailarinas se encuentran en pares) está cayendo hacia atrás. Este efecto de caída es realzado por la coreografía, en la que los movimientos de piernas dan la sensación de que ella está caminando, y las inclinaciones hacia atrás que solo son posibles gracias al soporte de la segunda bailarina.

Esta segunda bailarina ejecuta el rol de una Asistencia que mantiene el equilibrio de la otra. En algunas partes ella también actúa como una figura de cuidado (¿maternal?) y en otros momentos parece estar dirigiendo la coreografía, manipulando la cabeza o el giro de la bailarina de adelante. La Mirada de las Bailarinas, con la bailarina frontal mirando a la distancia y la segunda bailarina enfocada en la primera, ayuda a definir sus personajes. Son importantes aquí las Manos fijas en flexión de la bailarina que está al frente y las pequeñas Transiciones Ornamentales que ocasionalmente ejecuta, las cuales realzan su vulnerabilidad. Desde el punto de vista del Diseño Visual, esta sección de *Under Flat Sky* es la más llamativa. Las imágenes blancas y negras contrastadas sobre los rostros de las bailarinas producen impresiones continuamente cambiantes, similares a tatuajes. Además de ese efecto visual, la desaparición y reaparición del rostro de la bailarina líder parece reflejar su viaje a través de algún extraño paisaje.

19: **windwalk** de *Under Flat Sky*

(marcos temporales/movimiento izquierda derecha/mirada de la bailarina/transiciones de facilitación/postura)

caminataviento - a través de sombras de luz - caminataviento - a través de recuerdos perdidos - caminataviento - a través de campos de no retorno

En *Windwalk*, las bailarinas están cerca de la pantalla sobre la cual se proyecta una escena de campos abstractos en constante movimiento, esta vez, a diferencia de en *No Cloud*, moviéndose de forma lateral. Las bailarinas que están al frente de esta permanecen en el mismo lugar durante toda la escena, pero luce como si estuvieran desplazándose continuamente de Izquierda a Derecha – la dirección de izquierda a derecha da una sensación de progreso y propósito sin esfuerzo. Debido a que las bailarinas no están realmente moviéndose, pueden mantener este movimiento orientado en una misma dirección durante la totalidad de la pieza sin tener que resetear. Para realzar el efecto de desplazamiento, las bailarinas están balanceándose hacia adelante y hacia atrás muy lentamente. Cuando se mueven hacia atrás, siguen el movimiento de la proyección, entonces se siente como si estuvieran quietas, y cuando se mueven hacia adelante, su movimiento se suma al movimiento del fondo, entonces se siente como si estuvieran avanzando. Un elemento crucial es que la Mirada de las Bailarinas debe mantener una posición directamente hacia adelante sin mirar hacia abajo o hacia arriba, por lo que las bailarinas deben compensar con Transiciones de Facilitación, es decir, arqueando sus espaldas y cuellos, etc., para mantener esta posición de la cabeza. Otra idea esencial es que las bailarinas no deben sincronizarse entre sí, sino mantener sus propios patrones individuales. Para facilitar esto, los movimientos de las bailarinas no están estrictamente coreografiados de momento a momento, sino descritos en la forma de Marcos Temporales. En el primero de los tres marcos, las bailarinas deben mantener sus talones en el suelo, limitando sus movimientos. En el segundo marco, las bailarinas pueden elevar sus talones, alargando las inclinaciones hacia adelante y permitiéndoles descender más hacia el suelo (sin dejar de mantener la mirada horizontal). En el tercer marco, las bailarinas pueden tirar de su hombro derecho con la mano izquierda y rotar la parte superior del cuerpo.

Debe destacarse que las bailarinas no están Improvisando sino trabajando dentro de un marco muy riguroso con ciertas libertades de temporalidad. La danza completa funciona como una Metáfora acerca de viajar incesantemente a través de la vida o quizás de la muerte; una cosa es segura, como dice en el poema, estos son *'campos de no retorno'*.

20: dark rain introducción

(unísono/música no métrica/marcadores espaciales/bailarinas y bailarines virtuales/transición de reseteo/transición de sacudida)

Dark Rain (lluvia oscura) es una pieza que complementa a *Arte del Movimiento*, también comisionada por el Festival *Kyoto Experiment* en 2013. La versión original muestra a tres bailarinas y tres bailarines, dos reales y cuatro virtuales (aunque son indistinguibles entre sí) danzando al Unísono en formato Estereoscópico de Mismo Espacio.

La pieza es acompañada por percusión japonesa, tocada de forma no métrica, es decir, no hay un pulso de base constante para la sección (aunque hay algunos patrones que se repiten). Esto implica que las bailarinas y bailarines deben simplemente recordar el espaciamiento temporal entre los movimientos – lo cual es difícil pero no imposible en una escala de tiempo corta. Algunos puntos en la coreografía son: el uso que hacen las bailarinas y bailarines de sus cuerpos como Marcadores Espaciales, por ejemplo, mano a la cadera, cintura, pecho, etc.; la introducción de un patrón con la mano derecha que más tarde retorna espejado en ambas manos; la calidad de los giros hacia el lateral, que a veces son suaves y a veces son Transiciones de Sacudida; el uso de flexiones de piernas para alterar la posición del cuerpo; el uso de Transición de Reseteo hacia el final.

dark rain

21: dark rain

(notación/unísono/canon/bailarinas y bailarines virtuales/movimiento pedestre/conteo/pies musicales/marcadores espaciales/contrapunto)

El cuerpo principal de *Dark Rain* sigue después de unos segundos de apagón a partir de la Introducción antes mencionada. La percusión de estilo japonés ahora tiene un pulso veloz, pero este es extremadamente difícil de seguir dado que está superpuesto con ritmos sincopados complejos en los que, gran parte del tiempo, el énfasis no está en los golpes. No obstante, las bailarinas y bailarines están en un unísono riguroso en la primera parte de esta sección y luego en un canon estricto en la segunda, por lo que es imperativo que puedan seguir un pulso – con este objetivo, están contando en voz alta en su propio idioma *Uno Y Dos Y Tres Y Cuatro Y*. Además de posibilitar a las bailarinas y bailarines mantener registro de dónde están en la pieza, este Movimiento Pedestre en el contexto de los movimientos de tipo casi robótico les brinda una cualidad inquietante.

Imágenes visuales intermitentes de Silke Mansholt son proyectadas sobre las bailarinas y bailarines (por favor, no ver el video en caso de sufrir epilepsia), las cuales no cambian al mismo pulso que la música y la coreografía. Esto produce un complejo Contrapunto entre las visuales y la coreografía/música que parecen estar entrando y saliendo de tiempo unas con otras en un modo casi como de *Phasing*.

Dado que la música es tan rápida y compleja y la pieza es al unísono, era esencial que las bailarinas y bailarines tuvieran una estructura repetitiva estricta a la cual seguir, por lo que el mismo Patrón de 40 tiempos es repetido once veces. También se utilizó una forma de Notación de Texto para posibilitar el aprendizaje de la pieza – dado que los movimientos son tan rápidos y detallados (es decir, los giros de las manos), es difícil aprenderla a partir de un video.

DARK RAIN COREOGRAFÍA

Pose de apertura con dedos meñiques tocándose.

Pie musical = badaboom badaboom boom boom (espacio) 3&4&

Comenzar a contar visiblemente en su propio idioma y continuar a lo largo de la pieza (1&2&3&4&1&2 etc.)

1 elevar repentinamente mano derecha (dedo pulgar al dedo medio) palma hacia abajo & 2 abrir palma de la mano izquierda hacia arriba & 3 hundir palmas hacia abajo & hundir palmas hacia abajo 4 hundir palmas hacia abajo & hundir palmas hacia abajo

1 elevar repentinamente mano derecha (dedo pulgar al dedo medio) palma hacia abajo & 2 abrir palma de la mano izquierda hacia arriba & 3 hundir palmas hacia abajo& hundir palmas hacia abajo 4 hundir palmas hacia abajo & hundir palmas hacia abajo

1 apuntar con ambas manos hacia los lados de la cabeza & acariciar hacia abajo 2 acariciar hacia abajo & acariciar hacia abajo 3 apuntar con ambas manos hacia los lados de la cabeza & acariciar hacia abajo 4 acariciar hacia abajo & acariciar hacia abajo

1 rodilla derecha repentinamente hacia el lateral & 2 flexionar pierna izquierda & 3 dar un golpe con pie derecho desde atrás hacia adelante & dar un golpe con pie derecho desde atrás hacia adelante 4 dar un golpe con pie derecho desde atrás hacia adelante & dar un golpe con pie derecho desde atrás hacia adelante

1 mano derecha cubre los ojos & 2 mano izquierda cubre la boca & 3 mano derecha se ubica de forma vertical sobre los ojos & 4 mano izquierda se ubica de forma vertical sobre la boca &

1-4 mano derecha se desliza sobre la cabeza mano izquierda baja al pecho

1 rotación interna de pies & 2 brazo izquierdo hacia afuera & 3 mano derecha quiebra el brazo izquierdo desde el codo & 4 &

1 manos al pecho codos hacia abajo & 2 & 3 rodillas abiertas &4 &

1-4 brazos de reloj suben hasta posición vertical

1-4 sostener

REPETIR ONCE VECES EN TOTAL en las siguientes posiciones

PLANO – PLANO – GIRANDO – PLANO – PLANO (COMIENZA EL CANON) – PLANO – GIRANDO – PLANO – EN INCLINACIÓN HACIA ADELANTE (arrodillarse en el sostenido 1-4) – DE RODILLAS (intentar mantener movimientos, por ejemplo, utilizando las rodillas en lugar de los pies) – CABEZA HACIA ABAJO - CONGELAR

Como se puede ver a partir de la notación, las bailarinas y bailarines repiten los mismos patrones pero con Variaciones, es decir, girando 360 grados en sentido antihorario a lo largo de un patrón, inclinándose hacia adelante, arrodillándose y finalmente postrándose. El cambio gradual desde la posición erguida hasta las posiciones finales de sumisión refleja la sensación apocalíptica de toda la pieza y tiene una cierta formalidad japonesa. El Canon que aparece es facilitado por medio de que dos de las bailarinas y bailarines virtuales omitan un tiempo y dos agreguen un tiempo – esto permite a la bailarina y el bailarín reales la simplicidad de continuar sin ningún cambio pero seguir siendo parte del canon.

Para el final de la pieza, con la cantidad de sobrecarga sensorial, era imposible saber cuáles eran la bailarina y el bailarín reales (¡incluso para el coreógrafo!), entonces luego de la reverencia, se decidió encender las luces repentinamente, generando de este modo un shock en el público cuando cuatro de las bailarinas y bailarines desaparecieron.

22: attraverso i muri di bruma

(sitio específico/libertad del público/interacción con el público/extensiones corporales/vestuario)

Attraverso i Muri di Bruma (a través de muros de bruma) es un proyecto coreográfico comisionado por Fondazione Prada para su complejo de Milán en 2016. Este involucró a 11 bailarinas y bailarines en tres noches de performances de sitio específico. Como escribí en *Anarchic Dance* – *'el espacio normativo de caja negra utilizado por mucha de la performance no solo es plano en términos visuales sino que también lo es físicamente. Una respuesta obvia a la caja negra ubicua es la obra de danza de sitio específico, en la que la coreógrafa puede de hecho utilizar la dimensión vertical – escaleras, balcones, colinas, etc. y en la que una riqueza de contextos visualmente interesantes pueden influenciar a la obra'*. Podría haber estado escribiendo entonces acerca de esta pieza realizada para las fantásticas locaciones de Fondazione Prada, donde efectivamente hay una riqueza de espacios inusuales y texturas visuales.

Como mencionamos en las notas sobre Danza de Sitio Específico, existe la opción de tener un público estático o bien uno que circule por el lugar. En esta obra, decidí hacer ambas cosas a la vez. En las primeras dos horas de la pieza, se le dio al público un mapa con siete locaciones en las que sucederían simultáneamente eventos en *loop* a lo largo de ese período – esto les daba la oportunidad de explorar y, si así lo deseaban, ver una performance varias veces. Para resaltar esta variedad, se eligieron una serie de espacios en los que las bailarinas y bailarines podían estar muy lejos (por ejemplo, en la parte superior de la Casa Encantada con el público en el suelo y las bailarinas utilizando banderas como Extensiones Corporales en una especie de semáforo) o alternativamente muy cerca (por ejemplo, en la Biblioteca donde los bailarines podían estar en contacto físico con el público). Esta cuestión de escala también fue resaltada a partir de la presentación de dos versiones de la misma pieza, con una de ellas teniendo diez veces el tamaño de la otra. No obstante, en la última media hora, la totalidad del público era reunida para observar una performance frente a la espectacular pared de espejos de la Fondazione.

23: **trauernder riese** de *ATIMDB*

(simetría/pared/suelo/vestuario/unísono/posición clave paralela/posiciones clave pausadas/marcador espacial/cuerpo de la bailarina/punto de vista del público)

Las palabras de la canción *Mourning Giant* (de Silke Mansholt) son un ensueño sobre la muerte, con versos tales como *'negro tras la cruz negra en la noche azul'*, *'las manos están buscando'*, *'el ácido corroe los muros'*. Más importante, sin embargo, es la atmósfera de resignación sombría que imbuye a la pieza.

La sección es interpretada al unísono por once bailarinas y bailarines contra la Pared Espejada del cine en el espacio de la Fondazione Prada. Esta pared espejada proveyó una oportunidad única para crear super Simetrías de formas corporales. Como sabemos, cuando se trabaja al Unísono, especialmente cuando las bailarinas y bailarines no pueden verse entre sí, la ayuda de Marcadores Espaciales para clarificar las posiciones corporales es esencial. Aquí, tenemos el plano horizontal del Suelo y el plano vertical de la Pared. Una ventaja espacial adicional es que la pared de espejos se encuentra dividida en secciones, por lo que las bailarinas y bailarines pueden alinearse fácilmente desde la izquierda hacia la derecha de forma equidistante. Además, como están dispuestas y dispuestos en orden ascendente de altura desde la derecha hacia la izquierda, podemos utilizar la alineación de piernas, pies, manos, etc., con sus propios cuerpos, con la certeza de que esto producirá líneas correspondientemente anguladas. La magia de los cuerpos espejados implica que esas líneas angulares imaginarias también formarán Posiciones Clave Paralelas con sus reflejos. Un aspecto interesante de esta pieza es cuánto afecta el Punto de Vista del Público a su percepción de la obra – aquellas personas ubicadas en el centro (típicamente la opción preferida por el público para ver) probablemente obtuvieron la vista menos interesante de las simetrías de espejo. En contraste, aquellas personas que se encontraban en los laterales (desde donde se filmó el extracto que se puede ver aquí) obtuvieron la mejor vista.

Con respecto a los Vestuarios, para esta sección, se requería de cierta unidad pero manteniendo un grado de individualidad. Consecuentemente se decidió utilizar una paleta de color restringida al amarillo y rosa pastel – las prendas fueron compradas en los mercados de pulgas de Milán por un costo total de menos de 50 euros (una cierta ironía para una pieza ejecutada en la Fondazione Prada).

Algunos detalles coreográficos a destacar son: el uso de Posiciones Clave Pausadas largas, que realzan los movimientos al unísono cuando finalmente suceden; el uso de la pared para alinear los cuerpos; el uso secundario de la pared como soporte, y especialmente el deslizamiento hacia abajo en la sección tres manteniendo las posiciones de los pies; el uso de formas geométricas combinadas con los reflejos de los espejos.

Esta sección ilustra claramente los inconvenientes y alegrías de la verdadera obra de sitio específico, en la que, por un lado, la singularidad de la locación y su aporte crucial a la coreografía implican que la pieza con toda probabilidad no podrá volver a ser representada. Por otro lado, esta imposibilidad de repetir la obra le brinda un cierto encanto para las personas que tuvieron la suerte de estar allí.

24: beh de *ATIMDB*

(texto/comedia/fuerzas externas/forma narrativa/personaje/unísono difuso/trajes/transición simpática/estructura temática/interacción con el público)

Beh es una pieza para cuatro bailarines sin música, que involucra Interacción con el Público y tiene una duración aproximada de diez minutos. La Estructura Temática de la pieza está basada en las palabras italianas Beh (significando groseramente *¿y qué?*), Boh (significando *¿qué?*), Bah (significando *qué mal*) y Gia (significando *genial, fantástico*).

Cada uno de los cuatro bailarines, quienes visten Trajes y corbatas, tiene una de las palabras, la cual dicen cada vez que realizan una Posición Clave, Transición o Patrón. La obra también tiene una Forma Narrativa general, y dentro de esta, los performers tienen cierta libertad para lidiar con Fuerzas Externas y, en particular, con la Interacción con el Público.

Al comienzo, Beh entra al espacio, se mezcla con el público y comenta sobre ellas y ellos, así como sobre cualquier cosa que encuentra usando su palabra despectiva. Beh tiene dos pequeños patrones de movimiento (en primer lugar una elevación de la mano derecha al nivel del rostro, al nivel de la tapa de la cabeza y por encima de ella, y en segundo lugar una pequeña extensión extraña del codo derecho, una caminata lateral afectada y una pose sobre una pierna), ambos de los cuales le muestra a Boh, quien lo copia.

Gia entra entonces lleno de entusiasmo, y ellos le enseñan la segunda coreografía. Luego él les muestra un nuevo patrón de movimiento utilizando el brazo derecho para comenzar a balancear la pierna derecha en una especie de movimiento simpático (un poco como el péndulo de Newton). Cansado de eso, Gia manda a Beh y a Boh a lados opuestos del espacio y organiza una especie de partido de tenis con él mismo como árbitro, donde las palabras Beh y Boh se transforman en pelotas de tenis golpeadas de un lado al otro. En el clímax del juego, la palabra Beh es lanzada tan alto que se pierde de vista y desaparece – luego de eso, Beh puede hacer movimientos pero sin su sonido.

Ahora entra Bah, quien intimida al público antes de devolver el sonido Beh a su dueño. Bah comienza entonces a aterrorizar al tímido Boh, y los tres intentan distraerlo con la coreografía de movimiento simpático ejecutada al unísono. Lo que es importante en todas las secciones de Unísono Difuso es que los bailarines están realizando los mismos movimientos pero en sus personajes particulares definidos por sus palabras – como hemos dicho repetidas veces, nada enfatiza tanto la individualidad como el movimiento al unísono. Bah se une a ellos por un momento, y parece que el apaciguamiento podría funcionar, pero él lo rechaza, y los tres se dan por vencidos y abandonan el espacio. Bah deambula solo durante un tiempo antes de irse de la sala.

El hecho de que los cuatro intérpretes vistan trajes funciona en varios niveles. En primer lugar, los unifica y los ayuda a diferenciarse del público de un modo elegante e imponente. En segundo lugar, permite resaltar lo absurdo de su comportamiento y movimientos, revelando el humor de la situación. Por último, hay quizás un comentario sobre las multitudes de empresarios y políticos que dirigen nuestras vidas y visten trajes profesionalmente.

En obras de este tipo, es importante dar a los performers tanta libertad como sea posible para hacer frente a situaciones enormemente variantes, especialmente con públicos italianos volátiles. Por otro lado, también es imperativo proveer a los bailarines con material coreográfico sólido con el que puedan jugar, y una forma de arco general que evite que la obra se vuelva amorfa.

También, en obras como esta que son desarrolladas a través de personajes, es maravilloso ser capaz de adaptar la obra a la medida de bailarines específicos y sus personalidades (¡una especie de sitio específico humano!). Podríamos imaginar a esta obra con estos cuatro bailarines pero intercambiando sus roles y palabras – siendo performers destacados, sin lugar a dudas ellos serían capaces de llevarlo a cabo, pero inevitablemente se perdería la individualidad de la forma corporal y carácter particular de cada uno. Como he mencionado continuamente en este libro (y también en *Anarchic Dance*), la danza para mí es tanto más interesante cuando podemos identificarnos con los bailarines (¡como en esta pieza!), como seres humanos reales e individuales en oposición a cuerpos que interpretan, por muy hábiles que sean.

25: bacio de *ATIMDB*

(tamaño/restricción/caja/metáfora visual/marcador espacial)

hubiera sido mejor - si ese primer beso me hubiera arrojado - de un lado a otro del cuarto - dejándome magullado y enmarañado - pero todavía respirando aun desplomado - en cambio la mano - agarrando el cable de alta tensión - apretará hasta que los nudillos se vuelvan blancos - hasta que los dedos se fundan - hasta que la piel se queme - todo el tiempo - dejando que la corriente fluya y fluya

Esta danza tuvo lugar simultáneamente en dos locaciones, en una instancia con la bailarina proyectada en 3D en una escala enormemente aumentada de modo tal que ella adquiere el tamaño de una casa, y en una segunda locación en la que una bailarina está ejecutando en vivo la misma coreografía pero a escala real. Uno de los propósitos de este montaje era explorar cómo la escala y la presentación afectan a la obra, una versión siendo íntima y privada, y la otra épica y pública.

La coreografía tiene lugar dentro de una caja más pequeña que la bailarina (por lo que ella no puede extenderse completamente), lo cual cumple una doble función. En primer lugar, actúa como un Marcador Espacial para definir en todo momento la ubicación y ángulo de sus extremidades y, en segundo lugar, actúa como una Metáfora sobre estar atrapada. El segundo elemento que influye sobre la coreografía son los sonidos electrónicos chispeantes (en referencia al poema) que interrumpen la música y provocan algunas Transiciones Reconocibles, es decir, como si ella estuviera recibiendo descargas eléctricas.

La proyección estereoscópica en la versión grande no es una Estereoscopía de Mismo Espacio (como lo son todos los otros ejemplos en los Estudios de Caso), ya que la bailarina aparece por detrás de la superficie de proyección. No obstante, es inusual en tanto que, debido a que se proyecta sobre un edificio con ventanas, etc., en lugar de una pantalla blanca, y porque las proporciones y ángulos han sido cuidadosamente calculados, luce como si la enorme bailarina estuviera habitando la casa, la cual reemplaza a la caja.

Podríamos preguntarnos, '*¿por qué mostrar la misma coreografía dos veces?*'. La respuesta es que una de las principales ideas detrás de la totalidad de *ATIMDB* era explorar ¿qué significa ser público? ¿cómo miramos la danza? Como mencionamos, las varias libertades del público en la totalidad de la pieza y la variedad de montajes visuales plantean estas preguntas. No obstante, la posibilidad de contar con la misma pieza en formatos tan contrastantes resalta especialmente algunas diferencias – como vimos en el capítulo Unísono, el hecho de que las bailarinas estén haciendo una misma cosa nos hace poner el foco en sus individualidades – aquí, la misma pieza en diferentes espacios enfatiza sus disparidades. En primer lugar, está el modo en que el público ve las piezas. En la versión 3D, la obra domina la totalidad del centro del espacio de Prada y puede ser vista desde lejos mientras se pasea por el lugar, en tanto que, en la presentación en vivo, el público debe buscar la pieza y solo puede verla en un entorno íntimo y desde cerca, en cuclillas o incluso sentándose en el suelo. Además, el público se enfrenta con el hecho de que en una versión hay una bailarina en vivo y en la otra meramente una proyección.

Por más realista que sea la obra filmada, siempre sabemos que en verdad no hay nadie allí, mientras que, en la situación en vivo, es prácticamente imposible no empatizar con un ser vivo (¡especialmente en un contexto tan encerrado y arduo como el de la bailarina en la caja durante dos horas!). Sumemos a esto la visión espectacular, casi surrealista de la enorme bailarina atrapada dentro de una inmensa casa a través de cuyas paredes podemos ver – ¡como si estuvieran hechas de bruma!

shakespeare needs you

(interacción con film/texto/diseño visual)

Shakespeare Needs You (shakespeare te necesita) fue una comisión del *Festival B:om* y *fORbYaRTS* en Seúl, Corea, con el apoyo de British Council, para una nueva obra multimedia con una bailarina, un bailarín y la estrella de cine Kim C. La pieza formó parte del proyecto mundial *Shakespeare Lives* de British Council, del año 2016, y utilizó extractos de *La Tempestad* traducidos al coreano. En la obra, Shakespeare contacta por Skype a la bailarina y al bailarín como parte de un proyecto para incrementar su dominio mundial y presentar su obra a nuevos públicos. La bailarina y el bailarín, al googlearlo, deciden que él es una especie de figura sanguinaria de Tarantino, pero lo complacen y permiten que él les ayude a crear algunas coreografías con sus textos. La obra fue estrenada en *Cel Stage*, en Seúl, el 31 de marzo de 2016 y realizó una gira por Corea del Sur. Dos extractos - *The Isle is Full of Noises* y *Full Fathom Five* – fueron presentados como parte de la Bienal de La Habana en 2019 en la forma de un solo interpretado por la bailarina cubana Laura Ríos, con los textos en español.

26: the isle is full of noises de *Shakespeare Needs You*

(metáfora visual/aceleración de bartok/transición inconsciente/transición de automanipulación/manos)

El texto para esta danza pertenece a *La Tempestad*, de Shakespeare, donde Calibán conforta a los marineros:

No temáis. La isla está llena de bullicios, - Sonidos, y aires dulces, que deleitan y no hieren. - A veces un millar de vibrantes instrumentos - Resuenan en mi oído; y en ocasiones voces - Si acabo de despertar de un largo sueño - Me hacen dormir de nuevo; y entonces soñando - Diría que las nubes se abren desplegando riquezas - A punto de lloverme, así que al despertar - Lloro por seguir soñando.

En la coreografía predomina la Metáfora Visual de la Mano sacudiéndose, que representa a los ruidos y la música – lo cual parece apropiado en tanto que los sonidos son, después de todo, vibraciones en el aire. Para distanciar a las representaciones del sonido de la bailarina, se utiliza la técnica de Transición Inconsciente en la cual, por medio de tener a la mano moviéndose detrás de su espalda mientras su atención está en otro lugar, los *sonidos* parecen de otro mundo y no creados por ella. Las vibraciones comienzan lentamente y luego se aceleran en una forma de Accelerando de Bartok, culminando en un agarre de la mano – como si la bailarina estuviera intentando atrapar los sonidos que parecen insectos o aves – pero obviamente, no hay nada allí, no es posible agarrar un sonido. Este patrón de aceleración y su metáfora son repetidos y desarrollados a través de la pieza en una serie de Transiciones de Automanipulación. La segunda vez, los sonidos, ahora en la otra mano, parecen tirar de la bailarina en un giro espiral, la tercera vez los sonidos parecen permear todo el cuerpo de la bailarina y la cuarta vez los sonidos la arrastran de un lado a otro por el suelo hasta que ella se ve forzada a detener el movimiento con su otra mano. Finalmente, la quinta vez retorna cíclicamente a la primera versión. La danza tiene lugar en un paisaje visual proyectado, realizado por Silke Mansholt, que evoca un bosque enmarañado a través del cual la bailarina se mueve con dificultad; esto es realzado por las formas similares a árboles que envuelven a la performer.

27: full fathom five de *Shakespeare Needs You*

(pie musical/marcos temporales/papel tapiz musical)

En las profundidades yace vuestro padre; - De sus huesos se ha hecho coral; - Eso son perlas, lo que fueron sus ojos: - Nada de lo que fue se ha desvanecido, - Sino que ha sido cambiado por los mares - En algo profuso y extraño: - Ninfas marinas doblan sus campanas a las horas. - ¡Escuchad! - Ahora las oigo, - ¡Din - don – dan!

En esta sección, el Papel Tapiz Musical no tiene pulso sino que consiste simplemente en una serie de tonos y sonidos electrónicos ásperos, por lo que la bailarina y el bailarín están utilizando Marcos Temporales con pies musicales marcados por las campanas de barco (a las que se hace referencia en la cita). La coreografía toma su esencia del texto enfatizando el descenso, la muerte y la lentitud del tiempo. Para cada uno de los Marcos Temporales, la bailarina y el bailarín tienen una Transición Simple, Doble o Múltiple, algunas con Transiciones de Facilitación, y el ritmo glacial combinado con las campanas brinda a la sección una sensación ritualista. Cabe señalar que los movimientos de danza lentos tales como estos (al contrario de lo que muchas personas podrían pensar) son infinitamente más difíciles de ejecutar que los movimientos rápidos.

28: big head asleep de *Shakespeare Needs You*

(texto/lip sync/performance con film/transición simpática/comedia)

Hacia el final de la obra, cuando la bailarina termina de ejecutar la pieza *The Isle is Full of Noises*, nota que Shakespeare, con quien ella y el bailarín han estado dialogando a lo largo de la pieza vía Skype, se ha quedado dormido. Los Textos de la bailarina y del bailarín están pregrabados, por lo que están haciendo *lip sync* sobre una grabación – esto es necesario ya que las palabras del actor filmado están pregrabadas, y es casi imposible llevar adelante una conversación realista entre voces en vivo y voces grabadas. La bailarina decide intentar despertar a Shakespeare rotando su enorme cabeza, y la sorprendente incongruencia de la disparidad de tamaño entre ella y él, y lo absurdo de una persona real afectando a un film produce un efecto de Comedia. Aquí vemos al bailarín ejecutando Transiciones Simpáticas mientras ella gira la cabeza. La cabeza se atasca, y Shakespeare comienza a balbucear, entonces la bailarina y el bailarín lo reposicionan y arreglan su boca (¡desactivando en el proceso su traducción automática al coreano y permitiéndole a él una frase en inglés!). Cabe señalar que el Texto funciona de dos maneras diferentes en *Shakespeare Needs You;* en primer lugar, como conversación, que conduce la narrativa e introduce elementos humorísticos y, en segundo lugar, como textos poéticos que acompañan a las danzas.

la tragedia di eponima

(narradora/vestuario de personaje)

La Tragedia di Eponima fue comisionada como parte de una residencia con la *Civica Scuola di Teatro Paolo Grassi* en 2016. La obra de cincuenta minutos es un drama de danza-teatro que cuenta la historia de nuestra heroína Eponima, su amor Ernesto y el malvado Emil, en trece escenas. La obra es conducida por una Narradora en el Escenario, quien relata la historia pero también interviene con las bailarinas y bailarines como una maestra de ceremonias circense. Cada escena tiene un diseño visual proyectado, realizado por Silke Mansholt, inspirado en el cine expresionista alemán de los años '20. Las doce bailarinas y bailarines están caracterizadas y caracterizados por sus Vestuarios, por ejemplo, un sacerdote, un futbolista, un perro (con una chaqueta blanca vibrante), San Pedro, habitantes del pueblo, etc.

29: vals de *LTDE*

(pelea estilizada/danza social/ubicación/patrón cíclico/diálogo/patrón rítmico/desplazamiento/transición de reflejo)

La narradora acaba de contarnos, al comienzo de la totalidad de la pieza, que toda la gente del pueblo de Millenervi se reúne para un baile cada noche de jueves, y que el vals es su Danza Social favorita. ¡Ella también nos ha informado sobre el hecho de que las y los habitantes del pueblo no tienen permitido tocarse entre sí! Entonces, ¿qué queda de la forma de danza social del Vals? Bien, podemos decir que las bailarinas y bailarines están danzando en parejas – que lo hacen de forma altamente sincronizada – y que la sección tiene la famosa métrica de tres tiempos del Vals. En la danza predomina el siguiente Patrón Rítmico (con las transiciones en los números en negrita), el cual es independiente de la música, aunque utiliza el mismo pulso:

123 **1**23 **1**23 **123** cuatro veces
123 123 123 123 dos veces
123 **1**23 **1**23 **123** cuatro veces
123 123 123 123 dos veces

El patrón compone una estrofa, y la totalidad ocurre cuatro veces. En la primera estrofa vemos el Diálogo de – Posición Clave Neutra, mano de la mujer al rostro del hombre, mano del hombre al rostro de la mujer, la mujer mueve el rostro del hombre con tres impactos cortos. El patrón de diálogo se repite tres veces más, cada vez alternando de protagonista, y luego culmina con doce golpes al rostro por parte de cada integrante de la pareja, sin tocarse. La totalidad se repite una vez más alternando. Algunos conceptos importantes en esta sección son: en primer lugar, que la pelea estilizada sin tocarse puede ser mucho más violenta que una pelea real haciendo contacto (y que a esa velocidad resultaría en lesiones). En segundo lugar, que la Posición Clave Neutra puede ser una parte significativa de la coreografía y, de hecho, comenzar en el primer tiempo con 'nada' le da un gran ímpetu a la secuencia. Finalmente, que aunque los movimientos principales son ejecutados por manos y brazos, las Transiciones de Facilitación y Transiciones de Reflejo en la totalidad del cuerpo amplifican enormemente la potencia de los movimientos de brazo/mano.

En la segunda estrofa, mantenemos el mismo Patrón Rítmico pero esta vez transferido a un Desplazamiento con una agresiva inclinación hacia adelante (correspondida por la inclinación hacia atrás de la víctima) seguido de una serie de pasos conservando la inclinación agresiva. El ritmo creciente de cada

Patrón, es decir, en el primer compás (de tres tiempos) no hay movimientos; en el segundo compás, un movimiento; en el tercer compás un movimiento; en el cuarto compás tres movimientos; incrementa dramáticamente la fuerza dinámica del Desplazamiento. En lugar de los golpes, ahora tenemos vigorosas bofetadas a la compañera o el compañero con manos alternadas. Una vez más, la falta de contacto implica que esto puede ser extremadamente violento. En la tercera estrofa, ¡las cosas empeoran! En lugar de la inclinación, el hombre agarra (sin tocar) los pechos de la mujer, y alternadamente la mujer agarra los genitales del hombre. En lugar de la bofetada, hay un movimiento incisivo violento con dos dedos hacia los ojos de la compañera o el compañero. La cuarta estrofa es una repetición de la primera estrofa. Otro elemento crucial es que entre cada una de las estrofas, tenemos una Posición Clave Pausada de tres tiempos en la posición extrema final que funciona un poco como una fotografía y, curiosamente, esta pausa solo enfatiza la implacabilidad de los encuentros violentos. En términos de movimiento izquierda/derecha, los tres pares de bailarinas y bailarines se están desplazando en direcciones alternas, produciendo una escena de caos controlado.

En cuanto a la narrativa, ahora sabemos mucho sobre las y los habitantes del pueblo y cuán disfuncionales son sus vidas. El aspecto del no-contacto, que antes sonaba excéntrico, ahora parece ser parte de algún tipo de solución a la misoginia y misandria profundamente arraigadas. También hay algo mágico en la transformación del Vals, con sus connotaciones de formalidad (¡la cual de algún modo extrañamente se mantiene aquí!), cortesía, romance, etc., en algo violento y brutal.

30: solo de eponima de *LTDE*

(silla/transición de automanipulación/rostro/ojos/boca/manos/metáfora/narradora/transición de presentación)

En la segunda sección, la narradora nos presenta a Eponima:

Primero deberíamos conocer a nuestra epónima heroína. Aquí está ella. Su hombro izquierdo es su parte más hermosa. ¡Suficiente hombro Eponima! ¡Gracias! Sus ojos son azules. Su rodilla derecha es más flexible que la izquierda. Su boca es besable, ¡pero no por ti! Ella es una pensadora muy profunda.

La coreografía es controlada por el aporte dual de la descripción de la narradora (detallando qué parte del cuerpo debe moverse) y la música con sus ritmos extravagantes. La bailarina se encuentra sentada en una Silla durante toda la pieza, lo cual ayuda a definir su carácter (en cuatro de sus ocho escenas está sentada – como si todo girara en torno a ella) y posibilita algunos de sus movimientos de piernas extendidas.

Comenzamos con el hombro izquierdo (¡algo que toda coreografía debería incluir!) con Transiciones de Sacudida y Transiciones Circulares, siendo estas enfatizadas con una Transición de Presentación de la mano derecha de la bailarina, lo que demuestra su orgullo por este asombroso atributo. Finalmente, la narradora le dice *'Suficiente hombro'*, Eponima la ignora y solo tras un enfático *'¡Gracias!'* ella se detiene mientras le lanza una mirada a la narradora. Aquí vemos que la función de la Narradora es compleja; no está simplemente relatando la historia sino que está involucrada con las bailarinas y bailarines, quienes saben que ella está ahí. También, de algún modo, ella está controlando la pieza; quiere hacerla avanzar – un poco como una directora de escena (quizás una referencia a la obra de teatro *Our Town* de Thornton Wilder).

Luego tenemos secciones coreografiadas presentando a los Ojos a tiempo con la música y luego a las rodillas. Con las dos rodillas, vemos un gran contraste entre la derecha, la cual se mueve de forma muy fluida y la izquierda, que utiliza Transiciones de Sacudida que precipitan Transiciones de Reflejo a través de todo el cuerpo, enfatizando la falta de flexibilidad de la rodilla izquierda. La rodilla derecha también es ayudada por la mano izquierda que realiza algo a medio camino entre otra Transición de Presentación y una Transición de Automanipulación (¡a distancia!) en la que la mano prácticamente está haciendo que la rodilla se mueva sin tocarla. Luego la Boca es coreografiada antes de alcanzar el clímax del pensamiento coreografiado. En esta última sección, las Manos se vuelven Metáforas de los pensamientos, a veces fugaces, a veces en diálogo, ascendiendo, vibrando.

Lo que destacaríamos aquí como relevante respecto de la Danza Poética es la superposición de, por un lado, una serie de transiciones y posiciones interesantes, altamente sintonizadas con la música, y por otro lado, un entendimiento valioso (para el drama que sigue) del carácter y la personalidad de Eponima – ella es peculiar, inteligente, autónoma, consciente de sí misma, grotesca, graciosa, etc., en otras palabras, ¡la heroína romántica perfecta!

31: **solo de ernesto** de *LTDE*

(improvisación/narradora/accesorio/marcos temporales)

El Yang para el Yin de nuestra heroína, el badajo de su campana, la partícula de su onda, es por supuesto Ernesto. En las noches pares él sueña con fútbol, en las noches impares sueña con Eponima, y los domingos, sueña con bruschetta. Él es un maestro de su arte – una vez incluso llegó a probarse para la Juventus. No es difícil entender cómo a veces la gente tiene la impresión de que el balón está atado a su pie. Se mueve tan rápido que parece que sus oponentes van en cámara lenta. Se aproxima a la meta, él está cerca, él… ¡Offside! Ernesto ha estado en offside toda su vida – pero cuando tiene el balón entre sus pies y el viento en su cabello…

La Narradora ahora nos presenta a Ernesto, el protagonista romántico de este pequeño drama, un futbolista. La coreografía está basada en Movimiento Pedestre, en torno a una suerte de *freestyle* futbolístico (el arte de hacer malabares con el balón usando los pies). Para maximizar las posibilidades de movimiento del bailarín, se decidió sujetar el balón a su calzado con una cuerda corta, con la suficiente soltura para permitir que el balón tuviera algo de movimiento independiente – ¡un hecho al que la narradora se refiere cómicamente! En una de las presentaciones de la obra, el balón se soltó y el bailarín, siendo un jugador de fútbol habilidoso, ¡logró mantenerlo bajo control con algunas restricciones a la coreografía!

La coreografía necesariamente es relativamente libre, debido a la complejidad de mantener el balón bajo control. Esta utiliza una estructura de Marcos Temporales, puntuados por una serie de *'paradas de balón'* (esto es cuando un jugador de fútbol atrapa temporalmente el balón entre sus dedos del pie y la pierna y lo mantiene estable) con pies musicales dados por silbatos de la réferi en la banda sonora. El plan general de los Marcos es 1: levantarse a partir de estar de rodillas 2: desplazamiento lateral utilizando un paso de talón/dedos del pie 3: molinetes con los brazos 4: giros 5: posiciones tumbado 6: correr para hacer un gol. El gol de Ernesto es descalificado por la narradora, quien ahora se ha convertido en la réferi, por estar en *offside.*

Como ya hemos discutido con respecto a los Marcos Temporales en *Windwalk*, cabe destacar que aquí el bailarín no está Improvisando, sino ejecutando una serie de movimientos cuidadosamente coreografiados, contando meramente con una buena cantidad de libertad temporal y una cierta libertad en relación al orden en el cual los movimientos ocurren. Llenar marcos temporales con movimiento de un modo natural es una habilidad compleja, y esta sección requirió una gran cantidad de ensayo detallado.

Así como con el solo de Eponima, también aprendemos sobre el carácter de Ernesto – él es habilidoso, obsesivo, lúdico, propenso a la decepción, etc., ¡el héroe romántico perfecto!

32: noche de bodas de *LTDE*

(pelea/movimiento a distancia/movimiento pedestre/alternancia/oscilación de puñetazo/mirada del bailarín)

La noche de bodas de Emil y Eponima. Ella le recuerda a él sobre la regla del pueblo de no tocarse. Él no está contento. La ataca pero sin tocarla – él no es un animal después de todo. Ella encuentra su pistola y le dispara en el ojo izquierdo.

Mucho más adelante en la pieza, luego de que Ernesto y Eponima se han enamorado, el malvado Emil ha ganado la mano de Eponima en un juego de cartas con Ernesto. Eponima ha accedido a casarse con Emil para salvar a sus primos, ¡a quienes él iba a dejar sin hogar!

Esta escena (como la escena inicial) es descrita previamente por la narradora en la forma de un Recitativo-Aria. Podemos ver aquí la inmensa flexibilidad de la narradora en el escenario. En escenas como esta, que necesitan desarrollarse sin interrupción, ella puede presentar los eventos y luego retirarse. En los dos solos ella puede comentar a lo largo de los mismos, permitiéndonos de este modo conectar el texto con movimientos específicos. En otras escenas (que no son mostradas aquí), ella efectivamente pone palabras en boca de las y los performers, sobre las cuales hacen *lip sync*.

Esta escena es terriblemente violenta, aunque Emil nunca toca realmente a Eponima. A causa del no-contacto estilizado, como vimos en el baile de apertura, la violencia de la Pelea puede ser mucho mayor que si Emil estuviera físicamente golpeando a Eponima. La bailarina y el bailarín utilizan una forma de Oscilaciones de Puñetazo en las que el movimiento en una dirección es tan rápido, y el movimiento de retorno tan lento que no somos conscientes del segundo movimiento. La música altamente rítmica facilita que la bailarina y el bailarín sincronicen su Movimiento a Distancia.

En medio de los violentos ataques, Alternan a Movimientos Pedestres amenazantes, que consisten en caminar y rodearse, y luego Alternan de vuelta – el cambio repentino en la dinámica incrementa la violencia de la escena. Es crucial también la Mirada de Emil – naturalmente, en los ataques, él está principalmente mirando a Eponima, pero a medida que la escena avanza, su mirada deambula apartándose de ella, dándole a él un aspecto casi psicótico.

solos extremos

(vestuario/diseño visual/lip sync/caja negra)

Esta obra consiste en un par de solos contrastantes para Luciana Croatto comisionados por el *Festival Fiver* en 2020 - *Frau Auch Zu Hause* y *De lo Alto de Altos Edificios*. *Frau* utiliza grabaciones de idioma alemán como base para cada danza, y la música está compuesta a partir de repeticiones de las palabras del curso de idioma, lo que ridiculiza la naturaleza sexista de las frases usadas en las lecciones originales. La bailarina está vestida con cuero, en un estilo punk, y el Diseño Visual realizado por Silke Mansholt está compuesto por reimaginaciones proyectadas de los graffitis del *Muro de Berlín*. El segundo solo, *De lo Alto*, es una obra más lírica montada en un espacio de Caja Negra con un vestido recto simple como Vestuario. Cada pieza del segundo conjunto está basada en un poema sobre el que Luciana hace *Lip Sync* antes de la danza o durante la misma.

33: cigarillo de *Frau Auch zu Hause*

(transición simultánea/movimiento pedestre/acento por volumen/alternancia/oscilación asimétrica/patrón de ostinato/acento por tamaño)

Oho! Die Lange Cigarillo Macht die Finger lang und exquisite.
¡Oho! El cigarrillo largo hace que los dedos sean largos y exquisitos.

La música toma el O-ho inicial y lo repite en *loop* formando un patrón de **1** 2 **3 1** 2 **3** interrumpido por la repetición de la frase entera. Esta repetición del O-ho es espejada en la Oscilación Asimétrica de la flexión y extensión de la pierna izquierda de la bailarina en el mismo ritmo desequilibrado, es decir, una transición de dos tiempos y una transición de un tiempo que también desciende y eleva al cuerpo completo de la bailarina. Si los movimientos hubieran sido iguales en tiempo hacia arriba y hacia abajo, aún habría sido interesante, pero la asimetría lo vuelve hipnótico. Esta Oscilación también puede ser considerada como un Patrón de Ostinato, dado que está superpuesta con Transiciones independientes suaves de la pierna derecha de la bailarina, primero moviéndose hacia atrás en un arabesque y luego hacia el frente. Esta combinación de movimiento rítmicamente desequilibrado oscilando hacia arriba y hacia abajo con gráciles movimientos semiballetísticos produce una escena casi surrealista, especialmente cuando agregamos el Movimiento Pedestre Simultáneo de fumar.

La extrañeza es enfatizada aún más por medio de interludios en los que el texto completo interrumpe. Aquí la bailarina *dirige* el texto con movimientos de sus dedos. Una demostración emocionante del poder del Acento por Tamaño es que en los O-hos repetidos, el ho ha sido acortado a la mitad de la longitud de la O inicial, la cual de este modo toma el acento por ser más larga. Sin embargo, en la totalidad de la frase recitada, el ho no es acortado, y toma el Acento por Volumen.

Luego tenemos un alocado interludio musical en el que la bailarina Alterna a Movimiento completamente Pedestre, caminando frenéticamente, fumando su cigarrillo y mirando intensamente al público antes de Alternar de vuelta a una repetición de la primera sección.

Und wenn es
noch das Herz
zerreißt,
Herz bleibt Herz
Und auch
Schmerz

34: **dann geht sie einkaufen** de *Frau Auch zu Hause*

(laban/movimiento pedestre/estilización por desviación/movimiento izquierda derecha)

El texto para esta sección es '*Entonces ella va de Compras*', y la esencia de la coreografía consiste en que la bailarina camine de un lado al otro del escenario cuatro veces, es decir, Movimiento Pedestre en su forma más básica. No obstante, el Movimiento Pedestre se encuentra altamente Estilizado a través de la Desviación y la implementación de Patrones Rítmicos – por ejemplo, en el primer cruce, hay cuatro pasos rápidos muy cortos, y el quinto es ridículamente extendido y mucho más lento. En el segundo cruce se agrega otro Movimiento Pedestre, que consiste en *Recoger* (¡homenaje a Rudolf Laban!) la compra de los estantes del supermercado (una vez más, estilizado a través de la exageración). El tercer y el cuarto cruce utilizan movimientos artificiosos en los que un pie está realmente dando el paso, pero el otro muestra cruces exagerados (homenaje a la famosa *Variación de Dulcinea* del ballet *Don Quijote*). Hemos visto cómo el movimiento de izquierda a derecha puede parecer positivo y el de derecha a izquierda puede connotar esfuerzo, pero cuando alternamos los dos, la sensación es de falta de propósito y tedio – completamente apropiado para la temática de esta danza.

35: **miedo** de *De lo Alto de Altos Edificios*

(transferencia de patrón/suelo/transición de sacudida/roce/métrica compleja/transición de automanipulación/metáfora visual)

ayer hice un nuevo baile - un baile de miedo - pequeños movimientos - perfectamente coreografiados - gestos de alarma - respingos nerviosos - respiración entrecortada - fue tal - su éxito - que lo bailaré - hoy de nuevo - y mañana - y el día después

La pieza comienza con la bailarina haciendo *Lip Sync* sobre el poema, colocándose gradualmente en la posición inicial sobre el Suelo, con una serie de Transiciones de Automanipulación que dan una sensación de aprensión y falta de control. La música para *Miedo* tiene una Métrica Compleja, y esto se ve exacerbado por el hecho de que el pulso es muy veloz, lo que da al público poco tiempo para racionalizarlo. El número de tiempos en cada compás va cambiando continuamente:

6 6 5 5 6 6 5 5   5 5 9 5 5 5 9 5 6 9 6 6 6 9 6 6 6 9 6   4 5 6 (repite)

Esta imprevisibilidad en la música, especialmente a esta velocidad tan rápida, crea una gran cantidad de tensión y ansiedad, apropiada para el tema de la pieza. La coreografía de los primeros cuatro compases introduce una especie de comportamiento compulsivo en forma de Transiciones Reconocibles, es decir, un golpeteo y luego una acción de frotar, todo el tiempo Rozando el suelo. El patrón luego es repetido. A continuación vemos una serie de Transiciones de Sacudida angulares e impredecibles, rodando por el suelo, seguidas por una serie de transiciones más líricas imbuidas de elementos de paranoia y *bondage*. El patrón de apertura retorna pero esta vez, la mano golpea y frota el rostro en lugar del suelo, enfatizando la naturaleza compulsiva del comportamiento. Allí sigue otro conjunto de Transiciones de Sacudida y movimientos imbuidos de miedo antes de la coda, que implica la Transferencia de Patrón desde la mano inicial hacia la cabeza, golpeando sobre el suelo (con todo el simbolismo que eso evoca). Cabe señalar que la sección de movimiento completa, con todo lo que esta conlleva, dura poco más de un minuto.

36: hasta la luz de *De lo Alto de Altos Edificios*

(posición clave anudada/transición de delineado/estructura temática/posición clave de bucle/transiciones de automanipulación/movimiento izquierda derecha)

extendiste tu alfombra - sobre la hierba y suavemente dijiste - hasta que la luz de la mañana - toque esta plaza - y rompa su hechizo - estas cuatro paredes de oscuridad - nos mantendrán a salvo - y fue así - hasta que los primeros rayos de sol - jugaron en tu cara de mañana - allá donde lloraste una lágrima silenciosa - y luego sin una palabra - enrollaste tu alfombra - y ya no estabas

La Estructura Temática de esta danza se basa en el concepto de que los pies de la bailarina no tocan el suelo, es decir, en las secciones primera y tercera, ella solo puede apoyar sus pies sobre sus manos, y en la sección central, ella está sentada con sus pies elevados. Además de unificar a la pieza e introducir algunas Posiciones Clave inusuales, esto refiere al poema con su idea de la alfombra protegiéndonos del suelo. Los pies y manos siguen un conjunto de Transiciones de Delineado que describen arcos relacionados. En el caso de los pies, estas Transiciones se convierten en Posiciones Clave de Bucle a medida que los pies se mueven hacia las manos que están apoyadas sobre el suelo.

La sección media de la pieza tiene a la bailarina sentada usando Transiciones de Automanipulación para mover las piernas, terminando en una desesperanzada Posición Clave Anudada. Resulta significativa la dirección del desplazamiento de la bailarina – de Izquierda a Derecha en la primera mitad más positiva y de derecha a izquierda en la segunda mitad más desoladora.

37: **beso** de *De lo Alto de Altos Edificios*

(metáfora visual/lip sync/ritmo del texto/reinvención/transiciones de sacudida)

Esta pieza utiliza Reinvención no solo a partir de una fuente sino de dos, lo cual es una especie de síntesis. En primer lugar, el poema fue usado en *Bacio*, que formó parte de *ATIMDB*, y en segundo lugar, la coreografía deriva en gran medida de *El Agua de los Mares* de *DDAQSF*, pero con una nueva música. Como discutimos en el capítulo sobre Coreografía, la práctica de la Reinvención puede servir para muchos propósitos. Uno de esos es tomar ideas o movimientos y arrojar nueva luz sobre ellos – para nuestros propósitos aquí, también puede ser usada para resaltar diferentes prácticas mediante la comparación de los tres videos.

La introducción de esta última versión utiliza los movimientos ligeramente alterados de *El Agua*, pero allí estos estaban rítmicamente determinados por el flujo métrico regular de la música. Aquí no hay música, solo el *Lip Sync* del poema en el que las palabras imparten un tipo de Ritmo del Texto diferente a los movimientos. Como mencionamos en el capítulo Texto, hay algo seductor en los movimientos siguiendo a las palabras con su ritmo predecible pero menos métrico. También resulta instructivo comparar la calidad de los movimientos– en *El Agua*, las bailarinas están relajadas, y los movimientos adquieren una cierta serenidad. En *Beso*, la bailarina está tensa, y los movimientos, siendo prácticamente los mismos, se vuelven nerviosos – las Transiciones Escalonadas se convierten en Transiciones de Sacudida, y las manos se transforman en electrodos pasando electricidad entre ellas.

La comparación entre *Bacio* de *ATIMDB* y esta pieza también es esclarecedora. Con ambas usando el mismo poema, *Kiss*, obviamente incluyen referencias al flujo de la electricidad, pero en *Bacio*, el concepto cuenta con la ayuda del uso de efectos sonoros chispeantes; en *Beso*, es interpretado únicamente por el movimiento. El tema general del poema también es visto de un modo muy diferente; en *Bacio*, se enfatiza su naturaleza claustrofóbica y de encierro, mientras que *Beso* se centra en su energía nerviosa. Hemos hablado de la danza no siendo agobiada por la música cuando esta reinterpreta a la música; aquí, también podemos ver que es posible que la danza reinterprete de modo similar a la poesía aportándole nuevos significados y clarificaciones.

38: **de lo alto de altos edificios** de *Solos Extremos*

(metáfora visual/transición de automanipulación/transición ornamental) *en el otoño - la gente cae - de lo alto - de altos edificios - ¿es tranquilo - o ruidoso - ese lento descenso? - parece que hace viento - pero en realidad - el aire está - muy quieto - eres tú el que se mueve - tú eres ese viento - soplando turbulento - a través de tantas vidas - en el otoño - la gente cae - de lo alto – de altos edificios*

La danza comienza con cuatro Transiciones de Automanipulación realizadas con la mano izquierda – girar el cuerpo desde el hombro, girar la cabeza, presionar el abdomen y elevar el brazo derecho – todas produciendo una fuerte sensación de impotencia. La última de las transiciones también prepara la primera Metáfora Visual. El poema es sobre el suicidio a partir de una caída, y cuando el brazo ahora representando a la persona ha sido elevado sobre la cabeza, es dramáticamente soltado para permitir que caiga lentamente. Hacia el final de su descenso, el movimiento es modulado con pequeñas Transiciones Ornamentales, como si fuera agitado por el viento.

En la segunda sección, la bailarina se convierte en el cuerpo que cae lentamente, llevando los hombros hacia atrás y arqueando el cuerpo. La tercera sección repite la Metáfora Visual, pero esta vez con la pierna derecha siendo elevada y luego soltada para caer lentamente. Nótese el contraste en la velocidad y calidad de los movimientos de soltar y de caer en ambos casos.

La sección final repite la segunda sección pero ahora parada sobre una pierna, donde los ajustes de microequilibrio que realiza la bailarina realzan la imagen descendente y fuera de control.

39: in the flesh

(restricciones/estereoscopía de mismo espacio/mirada de la bailarina/ interacción con el público/instalación)

Esta es mi primera pieza de Estereoscopía de Mismo Espacio, realizada en 2007, en la que una bailarina a escala real (Sara Popowa), parece estar ocupando el mismo espacio que el público. Las espectadoras ven una proyección sobre el suelo frente a ellas, y parece que la bailarina estuviera sentada sobre una alfombra rectangular. La pieza dura alrededor de tres minutos y medio y luego se repite en *loop* tras un breve intervalo. El título *'in the flesh'* refiere al hecho de que parece que la bailarina está realmente allí *'en carne y hueso'*, pero también refiere al poema que acompaña a la pieza, el cual utiliza una metáfora en la que la escarcha helada saturando al suelo es comparada con el amor por alguien incrustado en nuestra carne.

permafrost - soy el suelo - soy la tierra - soy el terreno - y dentro de mí - tu frío penetra - hasta que me vuelvo sólida - y quebradiza - eres profunda - dentro de mí - y pasarán -

muchos años - antes del deshielo - antes de que las plantas - puedan crecer otra vez - vuelvo mi rostro - hacia el sol aguado - y espero - y espero - y espero

La coreografía opera dentro de una enorme restricción, puesto que todas las partes de la bailarina deben permanecer dentro de una pirámide distorsionada imaginaria que tiene como base al rectángulo proyectado y como vértice a los ojos de la espectadora. No obstante, como suele suceder, esta Restricción presenta oportunidades en tanto que el espacio disponible es explorado al máximo de sus posibilidades.

Como en todas las Estereoscopías de Mismo Espacio, la posición de la bailarina se ve afectada por la ubicación de quien observa, y la medida en que esto sucede depende de la distancia entre la parte del cuerpo de la bailarina y la superficie de proyección. Aquí, la cabeza es la parte que se encuentra más alejada de la proyección y por ende es la más afectada, y los pies, cuando están sobre el suelo, no son afectados en absoluto. Esto significa que si la espectadora desciende, la bailarina desciende; si se mueve a la derecha, la bailarina oscila hacia la derecha (es decir, la parte superior del cuerpo se mueve más que la inferior). De este modo, en puntos estáticos de la coreografía, el Público Interactúa con la bailarina bailando ellas mismas y haciéndola mover con ellas.

Una cosa interesante es la Mirada de la Bailarina – en un punto, ella mira a los ojos de cada miembro del público directamente; si ella fuera una bailarina real, solo podría mirar a los ojos de una única persona, pero aquí, por el modo en que está filmado, ¡ella puede mirar a los ojos de todas las personas al mismo tiempo!

En el primer capítulo de este libro, nos lamentamos de que la obra regular de danza en vivo se viera limitada por factores que la poesía podía pasar por alto. No obstante, aquí en el contexto de una Instalación, la obra puede ser tan corta como lo deseemos (es decir, poco más de tres minutos), y dado que está en *loop* y frecuentemente instalada por semanas, el público puede regresar a ella y encontrar nuevos significados a través de su repetición.

El *loop* sin fin y la repetición también pueden agregar una cualidad existencial a algunas obras, especialmente a aquellas que tratan sobre el tiempo, el sinsentido de la vida, la muerte, etc., tal como veremos en *Ghosts in the Machine*, *Tango de Soledad* y *Jenseits*.

40: tango de soledad

(alternancia/voz en off/film/ritmo del texto/transición de automanipulación/estructura de arco asimétrica /pared/acento por diferencia/espacio definido/danza social/estereoscopía de mismo espacio/patrón morse/patrón rítmico)

tango de soledad

Este solo de danza, interpretado por Amy Hollingsworth, fue realizado en 2010 y toma la forma de una lección de tango recordada, en la que el instructor/compañero/amante ya no está allí – presumiblemente ha muerto. El poema que acompaña a la danza, recitado en Off es:

uno dos - cuento sin pensar - tres cuatro - me muevo sin pasos - cinco seis - agarro sin tocar - siete ocho - amo sin... - qué claras recuerdo tus instrucciones y sé que te gustaría saber que finalmente en tu ausencia bailamos perfectamente como uno - uno dos - lloro sin lágrimas - tres cuatro - giro sin moverme - cinco seis - te añoro sin pena - siete ocho - amo sin...

El tango es una de las formas clásicas de Danza Social en dúo en la que, cuando se ejecuta con experticia, las dos personas que bailan parecen estar casi telepáticamente comunicadas entre sí y por consiguiente *'bailando como uno'* – el concepto de esta pieza es, por lo tanto, que el tango sea interpretado en forma de solo.

Como hemos visto, la voz en off es una forma ideal de impartir información textual detallada sin que las bailarinas tengan que hablar. No obstante, dado que esta pieza está filmada, hubiera sido relativamente fácil hacer que la bailarina recitara las palabras con naturalidad. Dos razones para no hacerlo fueron, en primer lugar, que aunque son las palabras de la bailarina las que estamos oyendo, al ponerlas en una voz en off, se siente como si estuviéramos percibiendo sus pensamientos más íntimos. En segundo lugar, para dar a la pieza un aire más español, el texto es presentado en español – o cuando es presentado en inglés, con un acento español. También resultó relativamente sencillo preparar versiones de la pieza en francés, alemán y japonés.

Como se puede ver, las secciones externas del poema combinan el conteo de los pasos de danza con frases de contradicción – ya sea sobre bailar tango, por ejemplo, moverse sin pasos (el tango es famoso por su uso del planeo) o sobre la pérdida, por ejemplo, añorar sin pena. La mayor parte de la coreografía se encuentra dominada por un patrón de dos movimientos muy cortados, seguidos por un movimiento largo lento de la misma duración que los dos movimientos cortos juntos (Patrón Morse U). Los pies sonoros para estos son dados por el Ritmo del Texto (no por la música), con los conteos de números en el texto indicando los movimientos rápidos y las frases del texto marcando los movimientos más largos. Esta combinación de movimientos lánguidos más lentos intercalados con otros cortados y dramáticos es otro sello distintivo del tango. Además, aquí las yuxtaposiciones regulares también brindan a la pieza una dinámica particular, como si los dos movimientos cortos fueran inhalaciones bruscas y el movimiento más prolongado una exhalación más lenta, es decir, una forma de tensión y relajación continuas. Muchas cosas determinan dónde está ubicado el Acento de una coreografía. Aquí, los elementos parecen contradictorios, es decir, el Acento por Velocidad coloca el acento en la primera cuenta, pero el importantísimo Acento por Diferencia enfatiza el movimiento largo lento. Esto significa que quedamos flotando ambiguamente respecto de dónde se encuentra el acento, lo que da a la performance completa una extraña cualidad atemporal.

La pieza comienza con la bailarina en silencio contando con sus dedos y ejecutando los movimientos lentos entre los conteos. El mismo Patrón Rítmico se repite pero ahora con las palabras recitadas guiando a los movimientos. Luego, la música comienza, y podemos oír que es un Tango de estilo Habanera con su característico ritmo *Dum, da Dum Dum* (el antiguo estilo de Tango en lugar del Tango argentino moderno de cuatro tiempos). Durante esta introducción, la bailarina sale de la coreografía y entra en Movimiento Pedestre parándose naturalmente, apartando la silla y acomodándose el cabello – antes de Alternar de vuelta al modo danza en la primera estrofa. En el poema, el texto no sigue el acento principal de la música ni la melodía sino que flota sobre esta, y dado que la bailarina está siguiendo al texto, los movimientos también parecen extrañamente desconectados de la música.

En la primera de las dos secciones centrales, la bailarina traza un cuadrado en el espacio. Parece que hay demasiada tensión en sus hombros, entonces ella libera la tensión con sus propias manos. Parece que su rostro está apuntando en la dirección equivocada; una vez más, su propia mano gira su rostro y, más tarde, el cuerpo completo. Estas Transiciones de Automanipulación, además de evidenciar que algo estaba mal, también parecen insinuar una experiencia previa con el compañero/instructor ausente, quien hubiera realizado esas correcciones si aún estuviese allí.

A continuación tenemos la segunda sección pedestre en la que la bailarina, luego de mirar a la cámara (en la versión 2D), camina hacia la pared de atrás antes de Alternar de vuelta al estribillo rítmico principal. En la sección de la Pared, vemos el inmenso poder de esa superficie plana como Marcador Espacial, permitiendo la alineación de diferentes partes del cuerpo: espalda, cabeza, manos, etc., y su uso como soporte posibilitando posiciones de piernas que serían imposibles de mantener en equilibrio. Aquí, también, vemos la Metáfora Visual de las manos sujetando a la pierna solo para que esta desaparezca, y así las manos quedan sosteniendo un espacio vacío, en un ejemplo de Espacio Definido. El hecho de que el propio espacio definido se disuelva rápidamente solo resalta la sensación de pérdida del compañero ausente. En la segunda de las secciones centrales, la bailarina colapsa hacia el suelo y, tras arquearse circularmente, permanece inmóvil a medida que la música concluye. Luego tenemos una repetición final de la sección rítmica principal con nuevas palabras mientras la bailarina se incorpora.

Si analizamos la estructura de la pieza, podemos ver en total al menos cinco capas coincidiendo. La forma poética es una clara estructura de AABA (la primera estrofa se repite), la estructura de la música es IABIAB (I significando Introducción). En términos de la estructura rítmica de la bailarina, tenemos AAPABPABA (P significando Sección Pedestre). En cuanto al espacio, tenemos el siguiente recorrido: desde posición sentada a la derecha moviéndose a través de secciones de pie hacia posición sentada a la izquierda (recordando siempre que el movimiento de Derecha a Izquierda connota esfuerzo) pero transformada sobre el suelo – una Estructura de Arco Asimétrica. No obstante, lo más importante es que, en lo que respecta a la estructura dramática, vemos un descenso gradual hacia la desesperanza, terminando en lo que parece ser la bailarina tendida sobre el suelo, inmóvil, mientras la música culmina. Sin embargo, la última sección la impulsa ligeramente hacia arriba con la fuerza del tango incesante, hacia cierta idea de esperanza. Lo que es esencial en relación a todas estas estructuras es que cada uno de estos esquemas simples proporciona continuidad y contraste, pero debido a que tienen cierta independencia, sus diferencias superpuestas dan una sensación de riqueza estructural.

Es importante en *Tango de Soledad* el Diseño Visual de la pieza, en términos de vestuario y especialmente de escenografía. En consonancia con la naturaleza sombría de la pieza, el color se mantuvo al mínimo, y la obra fue filmada en un espacio convencional de caja negra. No obstante, el vacío habitual de tales espacios fue enriquecido con dibujos hechos con tiza (por la artista alemana Silke Mansholt) sobre el suelo y las paredes, un poco a la manera de los dibujos de pizarra de Joseph Beuys. Además de aportar una riqueza visual a la escena y ayudar a la resolución estereoscópica, estos también proveen un contexto para las lecciones con sus fragmentos de texto, diagramas espirituales y geometría (a veces espejando a la coreografía, como en el uso de flechas). Del mismo modo, el vestuario fue escogido con cuidado, teniendo que continuar con el tono sombrío en blanco y negro de la pieza y contar con suficiente detalle para ser registrado en 3D (un vestido negro liso simplemente se habría visto plano).

Tango de Soledad existe en dos versiones filmadas contrastantes. La primera versión es una Estereoscopía de Mismo espacio filmada con cámara fija,

usualmente proyectada sobre una pared al nivel del suelo y a escala real, en la que el público tiene la sensación de estar viendo a la bailarina real. La segunda versión es un film 2D, filmado con cámara en mano en movimiento y usualmente exhibido en proyección cinematográfica. Ambos films comparten el hecho de que no tienen ediciones y están realizados en una toma única, por lo que evitan la mayoría de las prácticas fílmicas; no obstante, las dos versiones, a pesar de contar con la misma coreografía, texto, música, etc., tienen una sensación emocional marcadamente diferente que resulta útil aquí para explorar la diferencia entre los dos formatos.

La versión con Cámara Fija es la que más se acerca a la forma en que se ve la mayor parte de la danza en vivo – es decir, desde una posición estática en un auditorio. La falta de movimiento de la cámara (junto con la ausencia de edición) permite que los movimientos de la bailarina predominen sin distracciones. Este tipo de filmación también enfatiza los elementos abstractos y formales del movimiento, por ejemplo, el recorrido a través del espacio.

La versión con Cámara en Movimiento es menos natural, ya que es casi como si el público hubiese entrado al espacio performático y siguiera a la bailarina. La ventaja de este punto de vista es que permite una visión en primer plano y enfatiza los movimientos más pequeños, especialmente de las manos y el rostro. Si bien perdemos la claridad estructural de la cámara fija, ganamos cierta emoción y drama, enfatizados por la naturaleza ligeramente inestable de la cámara en mano. En *Tango de Soledad*, la cámara en movimiento cobra una dimensión adicional en términos de la historia dramática. En esta versión, exploramos el contexto del compañero/instructor de danza ausente (¿quizás muerto?) - ahora parece casi como si la cámara fuera ese compañero, ¿quizás incluso su espíritu? Esto se pone de manifiesto cuando la bailarina mira fugazmente a la cámara justo antes de la sección de la pared – como si ella fuera consciente de esta presencia fantasmática.

41: t'es pas la seule

(unísono/canon próximo/geometría/movimiento imposible/hombro/movimiento pedestre/estereoscopía de mismo espacio/instalación/transición inconsciente/cuerda invisible/marcadores espaciales/movimiento izquierda derecha)

T'es Pas la Seule (no eres la única) es una Instalación Estereoscópica de Mismo Espacio realizada para niñas y niños e interpretada por la bailarina argentina Mariana Di Silverio. La bailarina a escala real parece estar en el mismo espacio que el público y está digitalmente clonada para verse como cuatrillizas. La obra se divide en tres secciones, cada una con una canción con textos absurdos del poeta francés Robert Desnos. La estructura general de la coreografía se basa en la idea del Canon Próximo. En la primera sección, *Le Léopard* (el leopardo), las cuatro bailarinas están en canon a una distancia de solo un tiempo. En la segunda sección, *Le Blaireau* (el tejón), están en canon super próximo con una distancia temporal de un cuarto de tiempo (esto probablemente sería imposible de mantener en la vida real). En la sección final, *La Fourmi* (la hormiga), las bailarinas están en unísono (lo que podría ser considerado como la versión última del Canon Próximo, donde la distancia temporal ha sido reducida a cero). En la primera sección, como sucede típicamente con el Canon Próximo, las bailarinas revolotean entrando y saliendo del unísono toda vez que una Transición de un tiempo es repetida (como en el apretón de manos detrás de la espalda al final de la sección). En la segunda sección, el canon próximo super veloz es casi demasiado rápido como para seguirlo, pero el ojo tiende a viajar en forma descendente por la línea de bailarinas (como en el concepto de Unísono de Ola) en los movimientos más abruptos. En la tercera y última sección, tenemos un Unísono perfecto. Debido a su clonación digital, las cuatro bailarinas están exactamente sincronizadas entre sí, y las Posiciones Clave y Transiciones son idénticas de un modo en el que ninguna cantidad de ensayo tenaz podría jamás igualar en la vida real. La intención era que la tercera de las cuatro fuese una bailarina real en vivo, pero esto resultó logísticamente imposible, y la combinación de bailarinas reales y bailarinas 3D tuvo que esperar hasta *Arte del Movimiento*.

Durante la primera sección que implica *'entrar en el bosque donde está el leopardo'*, hay una gran cantidad de caminata en canon. En un punto, la bailarina, de rodillas, pone una mano sobre su hombro y, con una Cuerda Invisible, levanta su pie. Luego de hacer lo mismo con la otra mano y el otro pie, se le pidió a la bailarina que lo hiciera con ambas manos y pies en simultáneo, a lo cual ella respondió que sería imposible, ya que se caería. No obstante, el coreógrafo de sillón no le teme a la caída, ¡y así el Movimiento Imposible demostró ser posible!

En la segunda sección, la bailarina está mascando chicle – este Movimiento Pedestre Simultáneo está estilizado por el canon próximo y sirve no solo para humanizar a la bailarina (de un modo *cool* y anárquico), sino que también proporciona el sonido de *'pop'* al final del canon super próximo (nótese que todos los cánones se mueven de Izquierda a Derecha, enfatizando de esta forma la sensación positiva). La otra característica de esta sección es la Transición Inconsciente, en la que un Hombro fuera de control gradualmente se eleva y repentinamente cae. Al principio, la bailarina no es consciente de esto, luego lo nota con indiferencia y finalmente, con la otra mano, intenta detenerlo, pero al final el hombro permanece obstinadamente en su posición elevada.

En la tercera sección, que continúa con los temas de la goma de mascar y las cuerdas invisibles, predominan una serie de Transiciones Geométricas rápidas utilizando al propio cuerpo de la bailarina para situar con precisión Marcadores Espaciales de las manos y brazos, los cuales hacia el final se encuentran Espejados. De modo subyacente a esos movimientos, hay un Ostinato de rebote veloz en los pies, lo que da a la pieza una energía nerviosa específica.

42: jenseits

(marcador espacial/metáfora visual/transición de bisagra/diseño visual/simetría vertical/contrapunto/estereoscopía de mismo espacio)

Jenseits fue comisionada por el festival *Teatro a Corte* y es interpretada por la bailarina Oxana Panchenko. Se estrenó en 2012 en el *Castello di Rivoli Museo d'Arte Contemporanea* y fue pensada para incluir a una bailarina real en vivo y una bailarina Estereoscópica de Mismo Espacio. No obstante, por razones técnicas de seguridad, la bailarina real fue reemplazada por una segunda bailarina estereoscópica. El título de la pieza, *Jenseits*, significa en alemán *'del otro lado'* y es frecuentemente utilizado para referirse al tiempo después de la muerte. Este sentido es explorado aún más en el poema que acompaña a la pieza, *Beginnings and Endings*.

La totalidad de la danza tiene lugar sobre dos escaleras (una para cada bailarina). Las escaleras representan una Metáfora Visual sobre la transición desde esta vida a otra (como en la Escalera de Jacob). Aquí las escaleras también son usadas como Marcadores Espaciales muy particulares. En una escala musical como Do Mayor, las siete notas diferentes actúan como una cuadrícula de forma que cualquier melodía que las use puede ser fácilmente recordada, y las relaciones entre las notas son transparentes. Del mismo modo, aquí, los siete peldaños y espacios forman tramos iguales haciendo que la posición de los cuerpos y extremidades de las bailarinas sea perfectamente clara en todo momento e incluso brinda la posibilidad de representar acordes en el movimiento.

Además de su uso simbólico y como Marcadores Espaciales, las escaleras cumplen una tercera función al proveer un tipo único de soporte para las bailarinas, facilitando el movimiento en la tercera dimensión vertical y permitiendo ciertas Posiciones Clave Geométricas y Transiciones inusuales. Las dos bailarinas también están inmersas en dibujos en blanco y negro proyectados, realizados por Silke Mansholt, y dado que esta es la única luz sobre las bailarinas, ellas van quedando cada vez más ocultas a medida que las imágenes se vuelven más sombrías y oscuras, hasta que, al final, es solo la tridimensionalidad de las bailarinas lo que permite verlas. La coreografía es una especie de contrapunto en el que a ambas bailarinas les suceden cosas similares pero con cierto *delay*, variando o reflejándose de una a otra.

En la primera sección, con el poema, las escaleras también parecen funcionar como una especie de Metáfora sobre un muro que las bailarinas intentan penetrar hasta que al final de la sección, la bailarina de la derecha gira en torno a la escalera para estar *'del otro lado'*. En la segunda sección, con la música de piano, podemos ver que la estabilidad de las escaleras permite a las bailarinas realizar Transiciones de Bisagra perfectas Fijando sus posiciones de brazo y pierna y rotando el cuerpo como una unidad, dándoles la apariencia de casi flotar. Con el brazo y la pierna que quedan libres, las bailarinas también pueden crear Posiciones Clave Simétricas Verticales. En la sección final, los dibujos se sincronizan y las bailarinas emprenden el largo ascenso hacia la oscuridad.

ghosts in the machine

(instalación/estereoscopía de mismo espacio)

Ghosts in the Machine (fantasmas en la máquina) es una pieza de danza-teatro de treinta minutos en formato Estereoscópico de Mismo Espacio, comisionada por *Lighthouse* en 2009. Tres mujeres pasan el tiempo en una pesadilla existencial sin fin (la obra se repite en *loop* continuamente). Ellas bromean, cantan canciones, se dirigen al público y bailan.

43: **cheerio** de *Ghosts in the Machine*

(transición escalonada/unísono difuso/personaje/posiciones clave reconocibles/posiciones clave simétricas/flujo de pensamiento)

La danza final de la pieza (antes de que entre en *loop* para volver a comenzar) es *Cheerio*, interpretada con la canción del mismo nombre del disco *Eatingest*. La canción detalla una serie de acciones aparentemente arbitrarias, presumiblemente para ser realizadas antes de morir, y el movimiento toma esta idea de catalogación.

Por cada cuatro tiempos, las bailarinas adoptan una de ochenta y dos poses, usando la técnica de Transiciones Escalonadas, por medio de la cual el movimiento desde una posición es realizado tan rápidamente como es posible, y la Posición Clave es sostenida, enfatizando así a esta última. Las

Posiciones Clave – que son una combinación de Posiciones Clave Simétricas y Posiciones Clave Reconocibles – no se repiten, entonces el continuo adquiere una especie de estructura de Flujo de Pensamiento.

Las bailarinas se mueven al Unísono, pero en lugar de ser un unísono estricto, están interpretando las formas a la manera de sus propios Personajes, los cuales han sido desarrollados a lo largo de la pieza, generando así un Unísono Difuso.

Hay que tener en cuenta que este tipo de coreografía sin repeticiones, casi aleatoria, es difícil de ejecutar y, a la inversa, cuán necesarias son las repeticiones, la progresión lógica y los patrones para facilitar la vida de la bailarina.

44: retratos número 2

(diseño visual/rostro/film/primer plano/cámara fija/instalación/papel tapiz musical)

Retratos Número 2 es un film de danza en blanco y negro de tres minutos, coreografiado y dirigido en colaboración con la artista brasileña Gabriela Alcofra. Fue filmado en 2015 y completado en 2019. Está diseñado para ser exhibido en una Instalación en *loop* con los otros cinco retratos, todos los cuales comparten una convergencia de danza, Diseño Visual y Film. La obra utiliza una Cámara Fija, enfocada únicamente en el Primer Plano de la cabeza de la bailarina.

La iluminación para la obra es una fotografía proyectada de un rostro que se funde con el de la bailarina. La bailarina realiza movimientos mínimos, que permiten que sus rasgos se entramen con el motivo fotográfico para producir una compleja imagen distorsionada en la que no siempre es posible distinguir qué rasgos pertenecen a la bailarina y cuáles a la fotografía. Las combinaciones distorsionadas resultantes tienen un parecido con algunos de los retratos de arte visual de Francis Bacon.

La pieza es acompañada por un Papel Tapiz Musical especialmente realizado para este fin usando síntesis granular (por medio de la cual una pieza de música existente es fragmentada en partes diminutas, es decir 'granos', y las partículas luego se vuelven a ensamblar en una nueva música). El film se presenta como una toma única, sin ediciones y en blanco y negro. La coreografía consta solo de tres secciones – primero, algunas pequeñas inclinaciones de la cabeza hacia arriba y hacia abajo – en segundo lugar, un giro de la cabeza hacia el lateral – y en tercer lugar, la elevación del mentón de la bailarina. Los únicos otros movimientos de la bailarina son las aperturas y cierres ocasionales de los ojos. Cuando estos están cerrados, los ojos de la

fotografía se vuelven más evidentes; cuando están abiertos, los rasgos de la bailarina comienzan a predominar otra vez.

Para algunas personas, esta obra va más allá de los límites de lo que puede ser considerado como danza; sin embargo, cuando se la mira objetivamente, la pieza puede ser vista como una de las danzas más puras (es decir, movimiento de un cuerpo) posibles.

45: tango brasileiro

(film/movimiento pedestre/voz en off/independencia musical creativa/ diseño visual/recitativo-aria/danza social/rostro expresivo/mirada de la bailarina)

Tango Brasileiro es un film de tres minutos dirigido y coreografiado en colaboración con la artista y bailarina brasileña Gabriela Alcofra, comisionado por la TV de Reino Unido y la TV brasileña en 2015. La obra utiliza tecnología digital para superponer de forma homogénea material fílmico contemporáneo en vivo de la bailarina Gabriela sobre un film de archivo de Río de Janeiro en los años '30.

La pieza adopta una estructura clásica de Recitativo-Aria donde en la primera sección, la joven Gabriela explica en forma de un poema cómo ella puede detener el tiempo simplemente diciendo la palabra *Ahora*, para gran consternación de sus pequeñas amigas.

cuando tenía once años - comencé a gritar suavemente en la calle - ahora ahora - cada vez con una inflexión diferente - ahora ahora - mis amigas se reunieron en torno a mí - ¿por qué estás gritando? - ahora ahora - una pensó que quizás yo estaba deteniendo el tiempo - ella tenía razón - ahora ahora - me pidieron que no lo haga más - en caso de que el tiempo se negara a comenzar de nuevo - ellas se tapaban las orejas con las manos - ahora ahora - pero yo seguí - todavía lo hago - ahora - ahora - ahora

En lugar de que la bailarina recite el poema, este aparece en una Voz en Off, haciendo que los pensamientos parezcan mucho más internos, como un recuerdo. Gabriela está ubicada en la parte inferior de las escaleras, lo cual tiene connotaciones de un castigo por mal comportamiento. Ella está comiendo un panecillo, lo que da a la escena cierta naturalidad y más tarde se hace referencia a esto en la parte principal del film. Ella también realiza algunos movimientos mínimos que insinúan los elementos de Tango que vendrán, pero la característica principal de esta sección es el uso del Rostro Expresivo, donde podemos ver a los pensamientos revoloteando por su mente, culminando en una mirada final directa a la cámara.

En la sección de Aria del film, Gabriela demuestra sus poderes para detener el tiempo en el mundo real. Se seleccionó una escena de veinticuatro segundos de un film de viaje rodado en Río de Janeiro en la década de 1930, que muestra a una docena de ciudadanas y ciudadanos ocupándose de sus asuntos cotidianos (¡verdadero Movimiento Pedestre!). Luego Gabriela fue superpuesta sobre el film para que se vea como si ella estuviera presente en los años '30 e interactuando con las y los transeúntes. Como vimos en el capítulo sobre Movimiento Pedestre, se requiere de muy poco para transformar al Movimiento Pedestre en danza – aquí, la simple interrupción del movimiento por un segundo con la palabra *Ahora* es suficiente – ¡especialmente cuando la interrupción tiene a la mujer con su tobillo levantado hacia atrás al estilo tanguero!

La primera elección de música para el film fue el tango *Suspiro*, de la maravillosa compositora brasileña Chiquinha Gonzaga, escrito alrededor del año 1881. Esto parecía apropiado en tanto que Gonzaga posiblemente fue la primera compositora en publicar un tango, ¡y también porque ella nació en Río! El film fue editado con *Suspiro*, una suave pieza para piano de tipo Habanera; sin embargo, ¡se evidenció que la música estaba haciendo al film demasiado delicado y hermoso! Necesitábamos algo con un poco más de riesgo y misterio, entonces robamos uno de los tangos de *Tangos Cubanos* (obra que estaba siendo creada en ese momento). Como vimos en el capítulo sobre Música, este uso de la Independencia Musical Creativa puede resultar sorprendentemente efectivo. La nueva música encajó perfectamente con relativamente pocos ajustes y agregó una cierta extrañeza al film.

En el film, Gabriela interviene deteniendo momentáneamente a las ciudadanas y ciudadanos en tres escenas, pero además, ella también es colocada allí dos veces, por lo que luce como si estuviera a la par de dos transeúntes. Parece casi como si se percataran de su presencia y, junto a ella, ejecutan un pequeño momento de Danza Social. Estas interacciones fugaces con la más mínima impronta del Tango en la elevación del tobillo o en el giro repentino de la cabeza, adquieren una emotividad adicional bajo el entendimiento subyacente de que, luego de ochenta años, es casi seguro que el resto de las personas que participan como 'performers' en el film ya no deben estar vivas. El título inicial del film era *Dancing with Ghosts* (danzando con fantasmas) lo que planteaba preguntas tales como ¿qué es realmente *Ahora*? ¿filmar o fotografiar es en cierto modo detener el tiempo? Ambas preguntas de suma importancia para coreógrafas y bailarinas enfrentadas a lo esencialmente efímero de su obra.